崇文館 家庭典藏

崇文国学经典普及文库

闲情偶寄

（清）李渔◎著
方晓◎译

长江出版传媒
崇文书局

闲情偶寄

图书在版编目（CIP）数据

闲情偶寄 /（清）李渔著；方晓注释 .
—武汉 ：崇文书局，2017.1
（崇文国学经典普及文库）
ISBN 978-7-5403-4254-8
Ⅰ. ①闲…
Ⅱ. ①李… ②方…
Ⅲ. ①杂文集 - 中国 - 清代②《闲情偶寄》- 译文
Ⅳ. ① I264.9
中国版本图书馆 CIP 数据核字（2016）第 251681 号

出 品 人　潘启胜

统　　筹　陈中琼
责任编辑　丁　渝
出版发行　长江出版传媒｜崇文书局
地　　址　武汉市雄楚大街 268 号 C 座 11 层
电　　话　(027)87293001　邮政编码　430070
印　　刷　中印南方印刷有限公司
开　　本　889×1194　1/32
印　　张　4.75
字　　数　104 千字
版　　次　2017 年 1 月第 1 版
印　　次　2017 年 1 月第 1 次印刷
定　　价　19.80 元
（如发现印装质量问题，影响阅读，请与承印厂调换）

总序

现代意义的“国学”概念，是在19世纪西学东渐的背景下，为了保存和弘扬中国优秀传统文化而提出来的。1935年，王缁尘在世界书局出版了《国学讲话》一书，第3页有这样一段说明：“庚子义和团一役以后，西洋势力益膨胀于中国，士人之研究西学者日益众，翻译西书者亦日益多，而哲学、伦理、政治诸说，皆异于旧有之学术。于是概称此种书籍曰‘新学’，而称固有之学术曰‘旧学’矣。另一方面，不屑以旧学之名称我固有之学术，于是有发行杂志，名之曰《国粹学报》，以与西来之学术相抗。‘国粹’之名随之而起。继则有识之士，以为中国固有之学术，未必尽为精粹也，于是将‘保存国粹’之称，改为‘整理国故’，研究此项学术者称为‘国故学’……”从“旧学”到“国故学”，再到“国学”，名称的改变意味着褒贬的不同，反映出身处内忧外患之中的近代诸多有识之士对中国优秀传统文化失落的忧思和希望民族振兴的宏大志愿。

从学术的角度看，国学的文献载体是经、史、子、集。崇文书局的这一套国学经典普及文库，就是从传统的经、史、子、集中精选出来的。属于经部的，如《诗经》《论语》《孟子》《周易》《大学》《中庸》《左传》；属于史部的，如《战国策》《史记》《三国志》《贞观政要》《资治通鉴》；属于子部的，如《道德经》《庄子》《孙子兵法》《鬼谷子》《世说新语》《颜氏家训》《容斋随笔》《本草纲目》《阅微草堂笔记》；属于集部的，如《楚辞》《唐诗三百首》《豪放词》《婉约词》《宋词三百首》《千家诗》《元曲三百首》《随园诗话》。这套书内容丰富，而分量适中。一个希望对中国优秀传统文化有所了解的人，读了这些书，一般说来，犯常识性错误的可能性就很小了。

崇文书局之所以出版这套国学经典普及文库，不只是为了普及国学常识，更重要的目的是，希望有助于国民素质的提高。在国学教育中，有一种倾向需要警惕，即把中国优秀的传统文化"博物馆化"。"博物馆化"是20世纪中叶美国学者列文森在《儒教中国及其现代命运》中提出的一个术语。列文森认为，中国传统文化在很多方面已经被博物馆化了。虽然中国传统的经典依然有人阅读，但这已不属于他们了。"不属于他们"的意思是说，这些东西没有生命力，在社会上没有起到提升我们生活品格的作用。很多人阅读古代经典，就像参观埃及文物一样。考古发掘出来的珍贵文物，和我们的生命没有多大的关系，和我们的生活没有多大关系，这就叫作博物馆化。"博物馆化"的国学经典是没有现实生命力的。要让国学经典恢复生命力，有效的方法是使之成为生活的一部分。崇文书局之所以强调普及，深意在此，期待读者在阅读这些经典时，努力用经典来指导自己的内外生活，努力做一个有高尚的人格境界的人。

国学经典的普及，既是当下国民教育的需要，也是中华民族健康发展的需要。章太炎曾指出，了解本民族文化的过程就是一个接受爱国主义教育的过程："仆以为民族主义如稼穑然，要以史籍所载人物制度、地理风俗之类为之灌溉，则蔚然以兴矣。不然，徒知主义之可贵，而不知民族之可爱，吾恐其渐就萎黄也。"(《答铁铮》)优秀的传统文化中，那些与维护民族的生存、发展和社会进步密切相关的思想、感情，构成了一个民族的核心价值观。我们经常表彰"中国的脊梁"，一个毋庸置疑的事实是，近代以前，"中国的脊梁"都是在传统的国学经典的熏陶下成长起来的。所以，读崇文书局的这一套国学经典普及读本，虽然不必正襟危坐，也不必总是花大块的时间，更不必像备考那样一字一句锱铢必较，但保持一种敬重的心态是完全必要的。

期待读者诸君喜欢这套书，期待读者诸君与这套书成为形影相随的朋友。

陈文新

（教育部长江学者特聘教授，武汉大学杰出教授）

前言

李渔（1611—1680），原名仙侣，字谪凡，又字笠鸿，号天徒，又号笠翁，别号新亭樵客、随庵主人、湖上笠翁、伊园主人等，浙江兰溪人，生长在江苏如皋，父辈在此卖药行医。二十五岁返乡应童子试，以五经见拔，成为府学生；而后两次应乡试不售。顺治七年（1650）移居杭州，以卖文刻书为生，结交各方名士，游历甚广。家设戏班，往来达官显贵之家演出剧目，娱己娱人。其主要著作有《闲情偶寄》、《笠翁十种曲》、《十二楼》、《无声戏》等。

《闲情偶寄》是李渔精心构撰的一部寄情之作，内容涉及面广，分词曲、演习、声容、居室、器玩、饮馔、种植、颐养等部，各部之下均有细目，不厌其繁。所述均为其本人所好与经验之谈，显示其对于生命的感悟以及当时文人的游戏品质。

本书因篇幅体例所限，只选取作者对古代戏曲理论有最系统、最经典论述的《词曲》部加以阐释，此部共分为结构、词采、音律、宾白、科诨、格局六篇，是李渔对戏曲艺术中剧本创作的经验之谈。该部中对填词的技巧进行了着重的阐述，包括戒讽刺、立主脑、脱窠臼、密针线、减头绪等应注意的内容；其次该部对戏剧创作中的音律也做出了一些规范，例如恪守词韵、凛遵曲谱、鱼模当分、拗句难好等。这些内容即使在今天的戏曲创作中看来，也有很多值得借鉴的地方，对中华传统文化的传承和发展具有积极的意义。

《闲情偶寄》在中国传统文化中享有极高的声誉，著名作家周作人、梁实秋、林语堂对此书极为推崇。虽然书中有些内容在今天看来已经不合时宜，但是只要读者在阅读此书时，采取批判吸收的态度，取其精华，扬长避短，就可以有所体味，使自身的艺术修养得以提高。

目录

结构第一

【原文】

填词一道，文人之末技也。然能抑而为此，犹觉愈于驰马试剑，纵酒呼卢。孔子有言："不有博弈者乎？为之犹贤乎已。"博弈虽戏具，犹贤于"饱食终日，无所用心"；填词虽小道，不又贤于博弈乎？

吾谓技无大小，贵在能精；才乏纤洪，利于善用。能精善用，虽寸长尺短，亦可成名。否则才夸八斗，胸号五车，为文仅称点鬼之谈，著书惟供覆瓿之用，虽多亦奚以为？填词一道，非特文人工此者足以成名，即前代帝王，亦有以本朝词曲擅长，遂能不泯其国事者。请历言之。

高则诚、王实甫诸人，元之名士也，舍填词一无表见。使两人不撰《琵琶》、《西厢》，则沿至今日，谁复知其姓字？是则诚、实甫之传，《琵琶》、《西厢》传之也。

汤若士，明之才人也，诗文尺牍，尽有可观，而其脍炙人口者，不在尺牍诗文，而在《还魂》一剧。使若士不草《还魂》，则当日之若士，已虽有而若无，况后代乎？是若士之传，《还魂》传之也。此人以填词而得名者也。

历朝文字之盛，其名各有所归，“汉史”、“唐诗”、“宋文”、“元曲”，此世人口头语也。《汉书》、《史记》，千古不磨，尚矣。唐则诗人济济，宋有文士跄跄，宜其鼎足文坛，为三代后之三代也。元有天下，非特政刑礼乐一无可宗，即语言文字之末，图书翰墨之微，亦少概见。使非崇尚词曲，得《琵琶》、《西厢》以及《元人百种》诸书传于后代，则当日之元，亦与五代、金、辽同其泯灭，焉能附三朝骥尾，而挂学士文人之齿颊哉？此帝王国事，以填词而得名者也。

由是观之，填词非末技，乃与史传诗文同源而异派者也。

近日雅慕此道，刻欲追踪元人，配飨若士者尽多，而究竟作者寥寥，未闻绝唱。其故维何？止因词曲一道，但有前书堪读，并无成法可宗。暗室无灯，有眼皆同瞽目，无怪乎觅途不得，问津无人，半途而废者居多，差毫厘而谬千里者，亦复不少也。

尝怪天地之间有一种文字，即有一种文字之法脉准绳，载之于书者，不异耳提面命。独于填词制曲之事，非但略而未详，亦且置之不道。揣摩其故，殆有三焉：

一则为此理甚难，非可言传，止堪意会。想入云霄之际，作者神魂飞越，如在梦中，不至终篇，不能返魂收魄。谈真则易，说梦为难，非不欲传，不能传也。若是，则诚异诚难，诚为不可道矣。吾谓此等至理，皆言最上一乘，非填词之学节节皆如是也。岂可为精者难言，而粗者亦置弗道乎？

一则为填词之理变幻不常，言当如是，又有不当如是者。如填生、旦之词，贵于庄雅，制净、丑之曲，务带诙谐，此理之常也。乃忽遇风流放佚之生、旦，反觉庄雅为非，作迂腐不情之净、丑，转以诙谐为忌。诸如此类者，悉难胶柱。恐以一定之陈言，误泥古拘方之作者，是以宁为阙疑，不生蛇足。若是，则此种变幻之理，不独词曲为然，帖括诗文皆若是也。岂有执死法为文，而能见赏于人，相传于后者乎？

一则为从来名士以诗赋见重者十之九，以词

曲相传者犹不及什一，盖千百人一见者也。凡有能此者，悉皆剖腹藏珠，务求自秘，谓此法无人授我，我岂独肯传人。使家家制曲，户户填词，则无论《白雪》盈车，《阳春》遍世，淘金选玉者未必不使后来居上，而觉糠秕在前。且使周郎渐出，顾曲者多，攻出瑕疵，令前人无可藏拙，是自为后羿而教出无数逢蒙，环执干戈而害我也，不如仍仿前人，缄口不提之为是。吾揣摩不传之故，虽三者并列，窃恐此意居多。

以我论之：文章者，天下之公器，非我之所能私；是非者，千古之定评，岂人之所能倒？不若出我所有，公之于人，收天下后世之名贤，悉为同调。胜我者，我师之，仍不失为起予之高足；类我者，我友之，亦不愧为攻玉之他山。持此为心，遂不觉以生平底里，和盘托出，并前人已传之书，亦为取长弃短，别出瑕瑜，使人知所从违，而不为诵读所误。知我，罪我，怜我，杀我，悉听世人，不复能顾其后矣。但恐我所言者，自以为是而未必果是；人所趋者，我以为非而未必尽非。但矢一字之公，可谢千秋之罚。噫，元人可作，当必贯予。

填词首重音律，而予独先结构者，以音律有书可考，其理彰明较著。自《中原音韵》一出，则阴阳平仄画有塍区，如舟行水中，车推岸上，稍知率由者，虽欲故犯而不能矣。《啸余》、《九宫》二谱一出，则葫芦有样，粉本昭然。

前人呼制曲为填词，填者，布也，犹棋枰之中画有定格，见一格，布一子，止有黑白之分，从无出入之弊，彼用韵而我叶之，彼不用韵而我纵横流荡之。至于引商刻羽，戛玉敲金，虽曰神而明之，匪可言喻，亦则勉强而臻自然，盖遵守成法之化境也。

至于结构二字，则在引商刻羽之先，拈韵抽毫之始。如造物之赋形，当其精血初凝，胞胎未就，先为制定全形，使点血而具五官百骸之势。倘先无成局，而由顶及踵，逐段滋生，则人之一身，当有无数断续之痕，而血气为之中阻矣。工师之建宅亦然。基址初平，间架未立，先筹何处建厅，何方开户，栋需何木，梁用何材，必俟成局了然，始可挥斤运斧。倘造成一架而后再筹一架，则便于前者，不便于后，势必改而就之，未成先毁，犹之筑舍道旁，兼数宅之匠资，不足供一厅一堂之用矣。故作传奇者，不宜卒急拈毫，袖手于前，始能疾书于后。有奇事，方有奇文，未有命题不佳，而能出其锦心，扬为绣口者也。尝读时髦所撰，惜其惨淡经营，用心良苦，而不得被管弦、副优孟者，非审音协律之难，而结构全部规模之未善也。

词采似属可缓，而亦置音律之前者，以有才技之分也。文词稍胜者，即号才人，音律极精者，终为艺士。师旷止能审乐，不能作乐；龟年但能

度词，不能制词。使与作乐制词者同堂，吾知必居末席矣。事有极细而亦不可不严者，此类是也。

【译文】

填词作曲是文人的末等技艺，然而能潜心去做这件事，我想还是比骑马舞剑、酗酒赌博好些。孔子说过："难道没有下棋的吗？做这个总比什么都不干的好。"下棋虽然是游戏，仍然比"饱食终日、无所用心"要强；填词写曲虽然是末等技艺，不是还要比下棋好些吗？

我认为技艺不论大小，精通就好；才能不论多少，善用就好。能精通和善用一门技艺，即使只有小小的长处和才能，也可以成名。不然即使是号称自己才高八斗、学富五车，做起文章来只会引用古人观点，写的书只能用来作瓮盖，就算才能再多又有什么用呢？填词一事，不但使精通它的文人能够成名，即使是前代帝王，也有因为本朝擅长词曲，而使他的国家留名后世的。请让我一一举出来。

高则诚、王实甫等人，是元代的名人，除了戏曲之外，没有什么特殊建树。假使两人不撰写《琵琶记》、《西厢记》，那么时至今日，又有谁还知道他们的姓名？正是因为《琵琶记》、《西厢记》的流传而使他们流名后世。

汤显祖是明代的才子，他的诗文和书信都值得一读，然而他最为脍炙人口的作品，不是书信和诗文，而是《还魂记》这出戏。假使汤显祖不写《还魂记》，那么即使在当年他也只是可有可无之人，更何况在后代呢？也就是说，汤显祖的名字能够流传，全靠《还魂记》啊！这就是文人因戏剧而得名的例子。

各朝各代文学的盛况，各有各的体裁，"汉史"、"唐诗"、"宋文"、"元曲"，这是世人的口头语。《汉书》、《史记》，千古不朽，是非常值得

推崇的！唐代写诗的人才济济，宋代写散文的层出不穷。汉、唐、宋这三个朝代不愧在文坛上三足鼎立，可称为夏商周后文学繁荣的三朝盛世。元朝这个朝代，不单是政治、法律、礼乐制度无一可取，即使是语言文字、图书翰墨等方面，也很少有成就；如果不是因为崇尚戏曲，而有《琵琶记》、《西厢记》以及《元人百种曲》等书流传于后代，那么元代也就和五代、金、辽一样泯灭了，又怎么能够跟在三代之后挂在文人学士的嘴上呢？这是帝王国家因为戏曲发达而扬名的例子。

由此看来，戏曲并非雕虫小技，而是与史传、诗文同源而不同流的文体。

近来酷爱戏曲，刻意追随元人脚步，效法汤显祖的人很多，但是毕竟写的人寥寥无几，也没有听说什么出色的作品。这是为什么呢？因为在戏曲创作方面，只有前人的作品可以借鉴，并没有一定的规则可以遵循。就像黑暗的房子里没有灯，睁着眼睛也像瞎子一样，难怪找不到路，问不到人，半途而废的人有很多，差之毫厘、谬以千里的人也不少。

我曾经奇怪天地间只要有一种文学体裁，便会有一种相应的规则记载在书上，这样便和从老师那里当面学来的一样。唯独填词作曲的技法，不仅仅是简略，甚至是对它置之不理。考察其中的原因，大概有三个：

一是因为戏曲创作的规则难以掌握，不可言传，只能意会。作者在构思的时候，神魂飞越，像在梦中一般，不到最后不能收回魂魄。谈论真事很容易，要描述梦境就很难了，并不是不想告诉别人，而是不能够啊！像这样创作的规则的确奇异困难，很难说得出来。我认为这种深邃的道理，说的是文学的最高境界，并非只是戏曲创作，在其他方面也是这样。但是怎么能够因为难以描绘其精深之处，便对粗浅的道理也避而不谈了呢？

二是因为戏曲创作的规律变幻莫测，说是应该这样，有时又不该这样。比如填写生、旦的唱词，贵在庄重典雅；填写净、丑的唱词，务必要带些诙谐幽默，这是常规。但如果突然遇到风流放荡的生角和旦角，反而觉得庄重典雅不适宜了；写迂腐不近人情的净角、丑角的唱词，反而忌讳诙谐幽默。诸如此类，都很难一一说定。唯恐因一些总结出来的规律，贻误了那些拘泥不变的作者，所以宁可空缺存疑，也不画蛇添足。像这种变幻莫测的规律，不仅仅戏曲创作是这样，八股、诗文也都是这样。怎么会有根据不变的规则写出的文章，还能够被人赏识、流传于后世的呢？

三是因为自古以来的名人，因诗赋而被关注的有十分之九，而因戏曲传世的十个里找不出一个，大概要千百人中才可找到一个。凡是擅长这门技艺的，都剖腹藏珠，自己把这门技艺珍藏起来，认为没有人传授给我这门技艺，我为什么要教给别人呢。假使家家户户都从事戏曲创作，就算写的都是《阳春》、《白雪》这样的好东西，评论家们也未必就不会让后来者居上，而使前人显得差劲。而且如果内行的人越来越多，评论的人挑出毛病来，使前人无法掩饰他的短处，这样就好像自己是后羿而教出无数个逢蒙，让他们手拿兵器包围着，反而要加害于自己。还不如仍然和前人一样，闭口不言的好。我估计填词作曲之法不流传的原因，虽然三者都有，但恐怕还是最后一个原因居多。

我认为，文学作品是天下人共有的东西，不是某个人能够私藏的。是非对错，该由历史作出定评，又岂是某一人能够颠倒的？还不如把我所知道的倾囊而出，全都告诉别人，让天下后代的名人贤士都能一同唱和。胜过我的人我就拜他为师，算是促进我进步的一个新起点；和我差不多的人，我把他当朋友，也可以作为借鉴和学习的对象。怀着这样的心态，不知不觉就会把生平所有的知识全盘托出送人了。对前人流传下来的书，也可以指出长短、区别好坏，使人知道何去何从，而不会被所读的书误导。理解我、责备我、可怜我、扑杀我，全都请便，我已不会顾忌后果了。就只怕我所说的，我自以为对而事实上并非真对；世人追求而我认为不对的，却不一定全错。只求有一个字能有益于大家，就可以免去后代的处罚了。唉！元代的高手如果复生，应该会原谅我的。

戏曲创作首先看的是音律，而我单单把结构放在最前，是因为音律有书可以参考，其规律比较明显。《中原音韵》这本书一出，阴阳平仄都有其规范，就像船在水中行、车在岸上推一样，只要是稍微懂得一点门路的，即使故意违反也不可能了。《啸余》、《九宫》这两本曲谱一出现，世人便有了创作的样板，形式和内容全都清清楚楚。

前人把编写剧本唱词称为“填词”，“填”的意思是布局，就像棋盘中有固定的格子，见一个格子，摆上一个棋子，只有黑白之分，从来没有出格入格的毛病。该押韵的地方我押韵，不用押韵的地方我自由发挥。至于用五音，让它铿锵悦耳，虽说很神奇，难以用言语来形容，也还是可以勉强达到自然，这就是遵守已有的规律而达到出神入化的境地。

至于结构方面，却必须在确定音律、选择韵脚之前就要考虑，就像造物主开始造人，必须在精血刚凝聚，还未形成胚胎之时，就先设计好整体的形状，使得一滴血也具有五官百骸的形态。假如开始没有一定的布局，只是由上到下，一段一段地生成，那么人的一身，便会有无数个断断续续的接痕，人的血气便会被阻碍了。工匠建房子也是一样，刚打好地基，还没有建好骨架，便要先规划在何处建造厅房，何处开门窗，栋梁各用什么材料，一定要等整体的规模清清楚楚，才可以动工建房。假如先建成一个房架再考虑建另一个，那么适用于前面的不一定适用于后面，势必要作改变来将就，房屋还没建成就要先毁了，就像在路旁建房，即使用建筑多栋房屋的材料和工钱，也建不成一厅一堂。所以想写名人轶事的人不应该急急忙忙提起笔就写，动笔之前多考虑，才能在动笔之后奋笔疾书。要有奇事，才会有奇文。命题不好，没有人可以写出脍炙人口的作品。

我曾经读过一些当今人士写的作品，可惜他们惨淡经营、用心良苦的创作，却不能让演员演唱。这并不是音律上的问题，而全是结构规模不好。

词采似乎是不急着说的，但我也把它放在音律之前，这是因为有

才子和艺人的区别。文采较好的，便称为才子，音律极其精通的，终究不过艺人。师旷之能欣赏音乐，却不会作曲；李龟年只会弹唱，却不能作词，让他们与作曲作词的人坐在一起，那他们只能坐在末席了。有些事情虽然非常微小，却不能不认真对待。

戒讽刺

【原文】

武人之刀，文士之笔，皆杀人之具也。刀能杀人，人尽知之；笔能杀人，人则未尽知也。然笔能杀人，犹有或知之者；至笔之杀人较刀之杀人，其快其凶更加百倍，则未有能知之而明言以戒世者。予请深言其故。

何以知之？知之于刑人之际。杀之与剐，同是一死，而轻重别焉者。以杀止一刀，为时不久，头落而事毕矣；剐必数十百刀，为时必经数刻，死而不死，痛而复痛，求为头落事毕而不可得者，只在久与暂之分耳。然则笔之杀人，其为痛也，岂止数刻而已哉！

窃怪传奇一书，昔人以代木铎，因愚夫愚妇识字知书者少，劝使为善，诫使勿恶，其道无由，故设此种文词，借优人说法，与大众齐听。谓善者如此收场，不善者如此结果，使人知所趋避，是药人寿世之方，救苦弭灾之具也。后世刻薄之流，以此意倒行逆施，借此文报仇泄怨。心之所喜者，处以生、旦之位；意之所怒者，变以净、丑之形，且举千百年未闻之丑行，幻设而加于一人之身，使梨园习而传之，几为定案，虽有孝子慈孙，不能改也。噫，岂千古文章，止为杀人而设？一生诵读，徒备行凶造孽之需乎？苍颉造字而鬼夜哭，造物之心，未必非逆料至此也。

凡作传奇者，先要涤去此种肺肠，务存忠厚之心，勿为残毒之事。以之报恩则可，以之报怨则不可；以之劝善惩恶则可，以之欺善作恶则不可。

人谓《琵琶》一书，为讥王四而设。因其不孝于亲，故加以入赘豪门，致亲饿死之事。何以知之？因“琵琶”二字，有四“王”字冒于其上，则其寓意可知也。噫，此非君子之言，齐东野人之语也。

凡作传世之文者，必先有可以传世之心，而后鬼神效灵，予以生花之笔，撰为倒峡之词，使人人赞美，百世流芬。传非文字之传，一念之正气使传也。《五经》、《四书》、《左》、《国》、《史》、《汉》诸书，与大地山河同其不朽，试问当年作者有一不肖之人、轻薄之子厕于其间乎？但观《琵琶》得传至今，则高则诚之为人，必有善行可予，是以天寿其名，使不与身俱没，岂残忍刻薄之徒哉！即使当日与王四有隙，故以不孝加之，然则彼与蔡邕未必有隙，何以有隙之人，止暗寓其姓，不明叱其名，而以未必有隙之人，反蒙李代桃僵之实乎？

此显而易见之事，从无一人辩之。创为是说者，其不学无术可知矣。

予向梓传奇，尝埒誓词于首，其略云：加生、旦以美名，原非市恩于有托；抹净、丑以花面，亦属调笑于无心；凡以点缀词场，使不岑寂而已。但虑七情之内，无境不生，六合之中，何所不有。幻设一事，即有一事之偶同；乔命一名，即有一名之巧合。焉知不以无基之楼阁，认为有样之葫芦？是用沥血鸣神，剖心告世，倘有一毫所指，甘为三世之喑，即漏显诛，难逋阴罚。

此种血忱，业已沁入梨枣，印政寰中久矣。而好事之家，犹有不尽相谅者，每观一剧，必问所指何人。噫，如其尽有所指，则誓词之设，已经二十余年，上帝有赫，实式临之，胡不降之以罚？兹以身后之事，且置勿论，论其现在者：年将六十，即旦夕就木，不为夭矣。向忧伯道之忧，今且五其男，二其女，孕而未诞、诞而待孕者，尚不一其人，虽尽属景升豚犬，然得此以慰桑榆，不忧穷民之无告矣。年虽迈而筋力未衰，涉水登山，少年场往往追予弗及；貌虽癯而精血未耗，寻花觅柳，儿女事犹然自觉情长。所患在贫，贫也，非病也；所少在贵，贵岂人人可幸致乎？是造物之悯予，亦云至矣。非悯其才，非悯其德，悯其方寸之无他也。生平所著之书，虽无裨于人心世道，若止论等身，几与曹交食粟之躯等其高下。使其间稍伏机心，略藏匕首，造物且诛之夺之不暇，肯容自作孽者老而不死，犹得徉狂自肆于笔墨之林哉？

吾于发端之始，即以讽刺戒人，且若嚣嚣自鸣得意者，非敢故作夜郎，窃恐词人不究立言初意，谬信"琵琶王四"之说，因谬成真。谁无恩怨？谁乏牢骚？悉以填词泄愤，是此一书者，非阐明词学之书，乃教人行险播恶之书也。上帝讨无礼，予其首诛乎？现身说法，盖为此耳。

【译文】

武士的刀，文人的笔，都是杀人的工具。刀能杀人，大家都知道；笔能杀人，却并不是人人都知道的了。然而笔能杀人，或许还有人知道，至于用笔杀人比用刀杀人还要快、还要狠百倍，这就没有能够了解，并把它明确说出来告诫世人的人了。请让我说一说其中的缘故。

我是如何知道的呢？是看到刑场上处决犯人时悟出来的。杀和剐，同样是死，却有轻重之别。因为杀人只要一刀，时间很短，头落地

就完了。剐必须要几十上百刀，经过很长的时间，想死又不能死，痛上加痛，想要头落完事都不可能，它们的区别只在时间长短不同而已。但是用笔来杀人，那种痛苦，又岂是几个时辰的事？

我私下觉得很奇怪，当初古人用戏曲传奇来宣扬教化，是因为普通的男女能识字读书的人少，要劝他们做好事，告诫他们别做坏事，没有别的办法，所以设立了这样一种文艺形式，借艺人之口，说给大家听。让人们知道，好人的结局是这样的，坏人的下场是那样的，让人们知道应该从事什么、躲避什么，这就像是救人救世的药方、救苦消灾的工具。后来一些尖酸刻薄的人，利用这种形式来倒行逆施、报仇泄愤，自己喜欢的人，就让他们充当生角、旦角；自己憎恨的人，就让他们以净角、丑角的形象出现。而且将千百年来闻所未闻的丑恶行径，牵强附会地加在一个人的身上，让戏班子表演传播，使他的形象几乎成为定案，即使这个人有孝子贤孙，也不能改变这种局面。唉！难道千古文章，只是为了杀人而写的吗？读一辈子书，也只是为了去行凶造孽吗？苍颉造字的时候，鬼神在晚上哭泣，造物主在当初未必没有预料到这种情况啊！

凡创作戏曲的人，首先要把这种损人之心除去，务必存有忠厚之心，不要做残忍恶毒的事。用戏曲这种形式来报答恩情是可以的，用来报复泄愤却不行；用它来劝善惩恶是可以的，用来欺善作恶却不行。

有人说《琵琶记》这本书是为了讽刺王四而作。因为他对父母不孝，所以加入了他入赘富豪人家，导致双亲饿死的情节。何以见得？因为"琵琶"这两个字有四个"王"字在字头上，它的寓意非常明显。唉！这不是正人君子所说的话，而是乡野之人的无稽之谈。

凡是写出传世之作的人，一定要首先具有可以传世的思想，然后才会有鬼神显灵，赐给他生花妙笔，让他能够写出滔滔不绝的文字，使

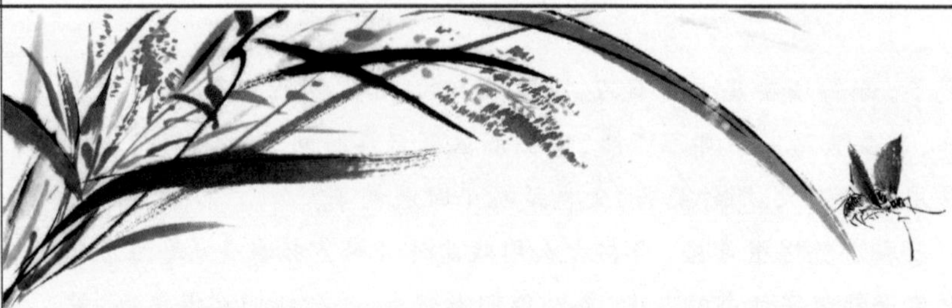

得人人赞美，美名永传后世。文章的流传并不是文字的流传，而是靠一股正气得以流传。《五经》、《四书》、《左传》、《国语》、《史记》、《汉书》等书，和大地山河一样永远不朽，请问当年的作者，有一个心术不正、行为不端的人吗？只要看一看《琵琶记》能够流传到现在，就可以知道高则诚这个人，一定有值得赞许的善行，所以上天才让他的名字永远流传，而不是和他的身体一起消失，他难道会是一个残忍刻薄的家伙吗？即使他当时和王四有仇，因而把不孝的罪名加在王四的身上，但他和蔡邕未必有什么仇，为什么对和自己有仇的人暗含其姓而不直接用他的名字，反而让和自己未必有什么仇的人来蒙受骂名呢？这是显而易见的道理，可从来没有人来分辨过。编造这种说法的人，其不学无术是可想而知的了。

我以前在刊行戏曲作品时，曾经在篇首附上一段誓词，大致的意思是：给生角、旦角加上美名，并不是为了做人情而给的恩惠；给净角、丑角抹上花脸，也是无心的调笑。这些都是用来活跃戏台，使演出不冷清而已。不过考虑到人的性情变化无常，天地之大，什么样的事情没有？虚构一件事情，生活中便会有一件事和它偶然相同；虚拟一个名字，便真的会有一个名字跟它巧合。怎么知道不会有人把我虚构的故事，当做是依照他的样子而写的呢？因此我指天发誓，将心里话明告世人：假设我有一丝一毫指代别人的地方，我甘愿三世当哑巴，即使逃过了阳世的杀身之祸，也躲不过阴间的惩罚！

我的这种肺腑之言，早已通过我刊刻的书版，为天下人所知很久了。但还是有一些好事之徒不肯相信这一点，每看一出戏，必定要问某某角色影射的是什么人。唉，如果作品中的人物都有所指的话，那么我的誓词已经发出二十多年，上天有灵，随时应验，为什么不给我惩罚呢？身后的事暂且放下不说，只说现在，我年近六十，即使马上就进棺材，也不算夭折了。以前担心自己没有人接续香火，现在我已经有五个儿子、两个女儿，其他怀了孕还没有生下来的和刚生不久还将怀孕的，还不只一人。虽然这些孩子不是很有出息，但有了他们我就可以安度晚年，用不着像穷苦人家那样担心年老时会孤独无依了。而且我年纪虽然大了，精力却并没有衰退，爬山涉水，往往年轻人都追不上；面容虽然清瘦，精血却没有耗尽，寻花问柳，对男女之欢仍然有兴趣。我所担心的是贫穷，但是贫穷并不是什么毛病；我所缺乏的是富贵，但富贵又岂是人人都可以有幸得到的吗？这样说来，造物主如此地怜悯我，也可说是仁至义尽了。但那并不是怜惜我的才华、我的品德，而是怜惜我心中没有杂念。我平生写的书，虽说不上有利于世道人心，但若只论数量，也可以说是著作等身了。如果我在这中间稍有不良居心，有一点害人之意，那么老天爷惩罚我还来不及，怎么能够容许我这个作孽之人老而不死，还能够狂妄地舞文弄墨呢？

我在本书的开始，就要世人戒讽刺，好像还不停地说得似乎有些自鸣得意，这并不是夜郎自大，是担心创作戏曲的人不明白我说此话的本意，而相信"《琵琶记》是影射王四"这类说法，把错误的当成正确的。谁能没有恩怨？谁又没有牢骚？如果都用戏曲创作来发泄怨愤，那么写出来的书就不是阐明戏曲原理的书，而是教唆别人做阴险事传播丑恶的书了。上天如果要追究起责任来，我岂不是首当其冲的吗？我自己现身说法，就是出于这个目的。

立主脑

【原文】

古人作文一篇，定有一篇之主脑。主脑非他，即作者立言之本意也。传奇亦然。一本戏中，有无数人名，究竟俱属陪宾，原其初心，止为一人而设。即此一人之身，自始至终，离合悲欢，中具无限情由，无穷关目，究竟俱属衍文，原其初心，又止为一事而设。此一人一事，即作传奇之主脑也。然必此一人一事果然奇特，实在可传而后传之，则不愧传奇之目，而其人其事与作者姓名皆千古矣。

如一部《琵琶》，止为蔡伯喈一人，而蔡伯喈一人又止为"重婚牛府"一事，其余枝节皆从此一事而生。二亲之遭凶，五娘之尽孝，拐儿之骗财匿书，张大公之疏财仗义，皆由于此。是"重婚牛府"四字，即作《琵琶记》之主脑也。一部《西厢》，止为张君瑞一人，而张君瑞一人，又止为"白马解围"一事，其余枝节皆从此一事而生。夫人之许婚，张生之望配，红娘之勇于作合，莺莺之敢于失身，与郑恒之力争原配而不得，皆由于此。是"白马解围"四字，即作《西厢记》之主脑也。余剧皆然，不能悉指。

后人作传奇，但知为一人而作，不知为一事而作。尽此一人所行之事，逐节铺陈，有如散金碎玉，以作零出则可，谓之全本，则为断线之珠，无梁之屋。作者茫然无绪，观者寂然无声，无怪乎有识梨园，望之而却走也。此语未经提破，故犯者孔多，而今而后，吾知鲜矣。

【译文】

古人写一篇文章，一定有一篇的主脑。主脑不是别的，就是作者写作的本意。戏曲传奇也是一样。一出戏当中，有无数个人名，但是说到底，这些人全都是陪客。考察作者最初的动机，这出戏只是为一个人而创作。就是这么一个人，从头到尾，悲欢离合，中间又有许多情节，许多波折，但终究这些都是铺张的文字。考察作者最初的意图，又只是为了一件事而创作。这一个人、一件事，便是写作剧本的主脑。但是这个人、这件事，必须十分奇特，确实值得流传，然后去写，这才配得上"传奇"这个名称，其人其事和作者姓名才可以传之千古了。

例如一部《琵琶记》，只为蔡伯喈一个人而写，而蔡伯喈这个人，又只为"重婚牛府"这一件事，其他的枝节都是从这一件事生出来的。双亲遭凶，五娘尽孝，拐子骗财藏信，张大公仗义疏财等，都是从这件事生出来的。因此，"重婚牛府"这四个字，就是写作《琵琶记》的主脑。一部《西厢记》，只为张君瑞一个人而写，而张君瑞这一个人，又只有"白马解围"这一件事，其他的枝节都是从这件事生出来的。夫人许婚，张生盼婚，红娘勇于做媒，莺莺敢于失身，以及郑恒力争原配而没有得逞等情节，都是从这件事生出来的。因此"白马解围"这四个字，就是写作《西厢记》的主脑。其他的剧本都是如此，在此不一一

列举。

后人创作戏曲传奇,只知道是为一个人而写,而不知道要为一件事而写。把这个人所做的一切事情,一件件地铺陈出来,就好像散碎的金玉,单独拿出来倒还行,若想当成一个整体,那就像断了线的珍珠、没有栋梁的房屋一样,是万万不行的。作者茫然没有头绪,看戏的人默默没有反应,难怪有眼光的戏班都不演出这样的剧本。这句话以前没有被人讲明,所以犯这种毛病的人特别多。从今以后,我想会少些了。

脱窠臼

【原文】

“人惟求旧,物惟求新。”新也者,天下事物之美称也。而文章一道,较之他物,尤加倍焉。戛戛乎“陈言务去”,求新之谓也。至于填词一道,较之诗赋古文,又加倍焉。非特前人所作,于今为旧,即出我一人之手,今之视昨,亦有间焉。昨已见而今未见也，知未见之为新，即知已见之为旧矣。

古人呼剧本为“传奇”者，因其事甚奇特，未经人见而传之，是以得名，可见非奇不传。“新”即“奇”之别名也。若此等情节业已见之戏场，则千人共见，万人共见，绝无奇矣，焉用传之？是以填词之家，务解“传奇”二字。欲为此剧，先问古今院本中，曾有此等情节与否，如其未有，则急急传之，否则枉费辛勤，徒作效颦之妇。东施之貌未必丑于西施，止为效颦于人，遂蒙千古之诮。使当日逆料至此，即劝之捧心，知不屑矣。

吾谓填词之难，莫难于洗涤窠臼，而填词之陋，亦莫陋于盗袭窠臼。吾观近日之新剧，非新剧也，皆老僧碎补之衲衣，医士合成之汤药。取众剧之所有，彼割一段，此割一段，合而成之，即是一种“传奇”。但有耳所未闻之姓名，从无目不经见之事实。语云“千金之裘，非一狐之腋”，以此赞时人新剧，可谓定评。但不知前人所作，又从何处集来？岂《西厢》以前，别有跳墙之张珙？《琵琶》以上，另有剪发之赵五娘乎？若是，则何以原本不传，而传其抄本也？窠臼不脱，难语填词，凡我同心，急宜参酌。

【译文】

“人惟求旧，物惟求新。”新，是对天下事物的美称。而文章比起其他事物来，尤其要加倍求新。人们常说的但难以做到的“陈言务去”，说的就是求新。至于戏曲作品，跟诗赋古文比起来，更要加倍求新。不仅是前人的作品到现在已经旧了，即使是出自我一人之手，今天看昨天的也有距离，这是因为昨天已看见而今天还没有看见，懂得没有见过的东西是新的，也就知道了已经见过的东西是旧的了。

古人把剧本叫做“传奇”，是因为剧中的事物非常奇特，没有人见过，所以把它写出来，传了出去，因此而得名。由此可见，不是奇特的事不作“传奇”，“新”就是“奇”的别名。如果某一情节已经在戏场里演过，那么千万人都已经看过，绝无新奇可言，哪里还用得着去传它呢？所以创作戏曲的人，务必要理解“传奇”这两个字。想要写一个剧本，先要了解古今戏曲剧本当中，有没有过类似的情节，如果没有，就赶紧把它写出来演出，否则只是白费功夫，白白做了一回效颦的东施。东施的容貌不一定就比西施丑，只是因为仿效别人，所以历来被人嘲笑。假使当初预料到这种后果，即使别人劝她效仿，她也不屑于这样去做。

我认为戏曲创作的难处，莫过于摆脱前人的老一套。而戏曲创作的陋习，也莫过于抄袭前人的老一套。我观看近来上演的新戏，实际

上并不是什么新戏，都是些老和尚缝补的百衲衣、医生合成的汤药。把前人剧本中的东西，这里割一段，那里割一段，合在一起，也就成了一部“传奇”。其中只有未曾听说过的名字，没有未曾看见过的情节。古人说：“价值千金的皮袄，不是一只狐狸腋下的毛能够做成的。”用这句话来形容现在的新戏，可以说是最准确的评价。但不知道前人的作品，其材料又是从哪里搜集来的。难道说在《西厢记》之前，另外有一个跳墙的张生吗？在《琵琶记》之前，另外有一个剪头发的赵五娘吗？如果是这样，那么为什么原来的剧本没有流传，抄本却流传下来了？不打破旧框架的束缚，就谈不上填词，凡是同意我这种观点的人，应赶快思考如何解决这个问题。

密针线

【原文】

编戏有如缝衣，其初则以完全者剪碎，其后又以剪碎者凑成。剪碎易，凑成难，凑成之工，全在针线紧密。一节偶疏，全篇之破绽出矣。每编一折，必须前顾数折，后顾数折。顾前者，欲其照映，顾后者，便于埋伏。照映埋伏，不止照映一人、埋伏一事，凡是此剧中有名之人、关涉之事，与前此后此所说之话，节节俱要想到，宁使想到而不用，勿使有用而忽之。

吾观今日之传奇，事事皆逊元人，独于埋伏照映处胜彼一筹。非今人之太工，以元人所长全不在此也。

若以针线论，元曲之最疏者，莫过于《琵琶》。无论大关节目背谬甚多，如子中状元三载，而家人不知；身赘相府，享尽荣华，不能自遣一仆，而附家报于路人；赵五娘千里寻夫，只身无伴，未审果能全节与否，其谁证之？诸如此类，皆背理妨伦之甚者。再取小节论之，如五娘之剪发，乃作者自为之，当日必无其事。以有疏财仗义之张大公在，受人之托，必能终人之事，未有坐视不顾，而致其剪发者也。然不剪发，不足以见五娘之孝。以我作《琵琶》，《剪发》一折亦不能少，但须回护张大公，使之自留地步。吾读《剪发》之曲，并无一字照管大公，且若有心讥刺者。据五娘云："前日婆婆没了，亏大公周济。如今公公又死，无钱资送，不好再去求他，只得剪发"云云。若是，则剪发一事乃自愿为之，非时势迫之使然也，奈何曲中云："非奴苦要孝名传，只为上山擒虎易，开口告人难。"此二语虽属恒言，人人可道，独不宜出五娘之口。彼自不肯告人，何以言其难也？观此二语，不似怼怨大公之词乎？然此犹属背后私言，或可免于照顾。迨其哭倒在地，大公见之，许送钱米相资，以备衣衾棺椁，则感之颂之，当有不啻口出者矣，奈何曲中又云："只恐奴身死也，兀自没人埋，谁还你恩债？"试问公死而埋者何人？姑死而埋者何人？对埋殓公姑之人而自言暴露，将置大公于何地乎？且大公之相资，尚义也，非图利也，“谁还恩债”一语，不几抹倒大公，将一片热肠付之冷水乎？此等词曲，幸而出自元人，若出我辈，则群口讪之，不识置身何地矣。

予非敢于仇古，既为词曲立言，必使人知取法，若扭于世俗之见，谓事事当法元人，吾恐未得其瑜，先有其瑕。人或非之，即举元人借口，乌知圣人千虑，必有一失；圣人之事，犹有不可尽法者，况其他乎？

《琵琶》之可法者原多，请举所长以盖短。如《中秋赏月》一折，同一月也，出于牛氏之口者，言言欢悦；出于伯喈之口者，字字凄凉。一座两情，两情一事，此其针线之最密者。瑕不掩瑜，何妨并举其略。

然传奇一事也，其中义理分为三项：曲也，白也，穿插联络之关目也。元人所长止居其一，曲是也，白与关目皆其所短。吾于元人，但守其词中绳墨而已矣。

【译文】

编剧就像缝衣，开始的时候把一块完整的布料剪碎，然后把剪碎的布料缝合成衣。把布料剪碎容易，把它缝合成衣服就难了。缝合的功夫，全在于针线紧密。疏漏了一个地方，整件衣服就有了破绽。每编一折戏，必须顾及前面几折戏，又必须顾及后面几折戏。顾前面的戏，是为了照应；顾后面的戏，是为了作埋伏。所谓照应、埋伏，不仅是照应一个人、埋伏一件事，凡是这出戏中有名有姓的人、有关系的事情，以及在这之前之后所说的话，每个细节都要想到，宁可想到了而不用，也不能把有用的东西忽略掉。

我看现在的戏曲作品，各个方面都不如元人的作品，唯独在埋伏和照应这方面，要比他们略胜一筹。这并不是由于现在的作者精于此道，而是由于元人所擅长的，根本就不在这里。

如果论起针线的粗细来，那么元朝的戏曲当中，最粗的莫过于《琵琶记》了。这出戏不要说大的地方有违常理的很多，比如：儿子中了状元三年，家里人却不知道；入赘相府做女婿，享尽了荣华富贵，却不能派一个仆人送家书，居然托付给一个路人；赵五娘千里寻夫，只身一人无人陪伴，也不考虑是否能保全贞节，又有谁能够证明？诸如此类，都是十分违背逻辑伦理的。再拿一些小的情节来说，如赵五娘剪掉头发就是作者自己凭空杜撰的，当时一定没有这样的事。因为有仗义疏财的张大公在，受人托付，就一定会帮人帮到底，绝对没有坐视不顾，致使赵五娘剪去头发的道理。但是不剪掉头发，又不足以显出赵五娘的孝顺。即使让我来写《琵琶记》，《剪发》这一折戏也是不能少的，但是必须维护张大公，给他留有余地。我读《剪发》这一折戏，感觉并没有一个地方照应到张大公，反而像是有心讽刺似的。据五娘说，“前天婆婆死了，幸亏大公周济。如今公公又死了，无钱发送，不好再去求他，只得剪发”等等，如果是这样，那么剪发这件事就是她自愿做的，而不是形势逼迫她这样做，可是为何曲中又唱道“非奴苦要孝名传，只为上山擒虎易，开口告人难”？这两句虽然是平常话，人人可以说，唯独不应该由赵五娘口里说出来。是她自己不肯求人，凭什么说难呢？看这两句，还不像是埋怨张大公的话吗？这两句话还可算是背后的自言自

语，或许用不着照应，但是等她哭倒在地，张大公见了，许诺送钱粮给她，用来准备寿衣、棺材，那么她感激张大公之情，可以说用言语都不能够表达了，可这时曲中又唱道："只恐奴身死也，兀自没人埋，谁还你恩债？"请问公公死后是谁出钱埋的？婆婆死后又是谁出钱埋的？对殓埋了自己公公婆婆的恩人哭诉自己死后会暴露在野外，这是要把张大公放在什么位置呢？况且张大公资助赵五娘是出于道义，而不是为了谋利，"谁还你恩债"这句话，不是抹煞了张大公的功德，把他的一片热心全都抛到凉水里了吗？这样的词曲幸亏是出于元人之手，如果是当今作者写的，肯定会被众人骂得不知何处容身了。

我不是敢于和古人过不去，既然是为戏曲建立学说，就必须使人知道法则，如果受世俗之见的拘束，认为事事都要效法元代戏曲家，恐怕还没有学到他们的长处，倒先把他们的短处学来了。有人也许有不同意见，举出元人来做借口，怎知"圣人千虑，必有一失"，圣人所做的事情，尚且不可以完全效法，更何况别人呢？

《琵琶记》可以效法的地方本来很多，请让我举出它的长处来弥补它的短处。如《中秋赏月》这一折戏，同是一个月亮，从牛氏口中说出来，句句欢欣；而从蔡伯喈口中说出来，却字字凄凉。同坐一席，两种心情，两种心情又是从同一件事而引发的，这是《琵琶记》中针线最密的地方。瑕不掩瑜，不妨举出个大概。

然而，戏曲剧本是一个统一的整体，其中的内容又可分为三项：曲词、宾白、穿插联络情节的关目。元人所擅长的只是其中一项，就是曲词，宾白和关目都是元人的短处。我们对于元人，只要遵守他们曲词中的规则就行了。

减头绪

【原文】

头绪繁多，传奇之大病也。《荆》、《刘》、《拜》、《杀》(《荆钗记》、《刘知远》、《拜月亭》、《杀狗记》)之得传于后，止为一线到底，并无旁见侧出之情。三尺童子观演此剧，皆能了了于心，便便于口，以其始终无二事，贯串只一人也。后来作者不讲根源，单筹枝节，谓多一人可增一人之事。事多则关目亦多，令观场者如入山阴道中，人人应接不暇。

殊不知戏场脚色，止此数人，便换千百个姓

名，也只此数人装扮，止在上场之勤不勤，不在姓名之换不换。与其忽张忽李，令人莫识从来，何如只扮数人，使之频上频下，易其事不易其人，使观者各畅怀来，如逢故物之为愈乎？

作传奇者，能以“头绪忌繁”四字，刻刻关心，则思路不分，文情专一，其为词也，如孤桐劲竹，直上无枝，虽难保其必传，然已有《荆》、《刘》、《拜》、《杀》之势矣。

【译文】

头绪太多是剧本创作中最易出现的通病。《荆钗记》、《刘知远》、《拜月亭》、《杀狗记》之所以能够流传到后代，是因为这四部戏都有一条主线贯穿到底，没有枝节横出的情况。三尺高的小孩看了这种戏，都能心里明白，讲得清楚，因为戏里始终只有一个中心事件，贯穿全剧的也只有一个中心人物。后来的作者，不讲究根源，想着安排情节，认为多一个人物就可以增加一个人物的事件。事件多了，穿插联络的关目也必然要多了，结果让看戏的人好像进入山阴道中，人人应接不暇。

然而他们却不知道，一个戏班只有这么几个演员，即使更换千百个姓名，也只是这几个人来扮演，只在上场勤不勤，而不在姓名换不换。与其一会儿姓张，一会儿姓李，让人不知道从哪来，还不如只扮演几个人，让他们频繁地上场下场，变化情节而不变化人物，使观众看得心情舒畅，像碰上旧相识一样，岂不是更好？

编写剧本的人，如果能够时时刻刻记住“头绪忌繁”四个字，就能做到思路不散，关注专一。他写出的剧本，就像梧桐劲竹，直立向上，没有枝节，虽然难以保证它一定就会流传，但是也已具有了《荆钗记》、《刘知远》、《拜月亭》、《杀狗记》那样的气势了。

戒荒唐

【原文】

昔人云："画鬼魅易，画狗马难。"以鬼魅无形，画之不似，难于稽考。狗马为人所习见，一笔稍乖，是人得以指摘。可见事涉荒唐，即文人藏拙之具也。而近日传奇，独工于为此。噫，活人见鬼，其兆不祥，矧有吉事之家，动出魑魅魍魉为寿乎？移风易俗，当自此始。

吾谓剧本非他，即三代以后之《韶》、《濩》也。殷俗尚鬼，犹不闻以怪诞不经之事被诸声乐，奏于庙堂，矧辟谬崇真之盛世乎？

王道本乎人情，凡作传奇，只当求于耳目之前，不当索诸闻见之外。无论词曲，古今文字皆然。凡说人情物理者，千古相传；凡涉荒唐怪异者，当日即朽。《五经》、《四书》、《左》、《国》、《史》、《汉》，以及唐宋诸大家，何一不说人情？何一不关物理？及今家传户颂，有怪其平易而废之者乎？《齐谐》，志怪之书也，当日仅存其名，后世未见其实。此非平易可久、怪诞不传之明验欤？

人谓家常日用之事，已被前人做尽，穷微极

隐，纤芥无遗，非好奇也，求为平而不可得也。予曰：不然。世间奇事无多，常事为多，物理易尽，人情难尽。有一日之君臣父子，即有一日之忠孝节义。性之所发，愈出愈奇，尽有前人未作之事，留之以待后人，后人猛发之心，较之胜于先辈者。即就妇人女子言之，女德莫过于贞，妇愆无甚于妒。古来贞女守节之事，自剪发、断臂、刺面、毁身，以至刎颈而止矣。近日失贞之妇，竟有刲肠剖腹，自涂肝脑于贵人之庭以鸣不屈者；又有不持利器，谈笑而终其身，若老衲高僧之坐化者。岂非五伦以内，自有变化不穷之事乎？古来妒妇制夫之条，自罚跪、戒眠、捧灯、戴水，以至扑臀而止矣。近日妒悍之流，竟有锁门绝食，迁怒于人，使族党避祸难前，坐视其死而莫之救者；又有鞭扑不加，囹圄不设，宽仁大度，若有刑措之风，而其夫慑于不怒之威，自遣其妾而归化者。岂非闺阃以内，便有日异月新之事乎？此类繁多，不能枚举。

此言前人未见之事，后人见之，可备填词制曲之用者也。即前人已见之事，尽有摹写未尽之情，描画不全之态。若能设身处地，伐隐攻微，彼泉下之人，自能效灵于我，授以生花之笔，假以蕴绣之肠，制为杂剧，使人但赏极新极艳之词，而竟忘其为极腐极陈之事者。此为最上一乘，予有志焉，而未之逮也。

【译文】

古人说:“画鬼怪容易,画狗马难。”因为鬼怪没有一定的形状,画得不像,也难以考证。狗和马是人们所常见的,有一笔画得不像,人人都可以指出。可见描写荒唐的事情,是文人隐藏自己短处的办法。而近来的传奇,偏偏在这方面下工夫。唉,活人见鬼,是不祥的预兆,哪有办喜事的人家,动不动就请妖魔鬼怪来祝寿的呢?移风易俗,应该从这里着手。

我认为剧本不是别的,是夏、商、周三代以后的正统乐曲,如《韶》、《濩》。商代盛行祭鬼的风俗,但也没有听说把荒诞不经的事情配上音乐,在庙堂演奏的,何况在当今铲除邪恶、崇尚真实的太平盛世呢?

王道从人之常情而来,凡是创作剧本,只应当从眼见耳闻的事情中选取素材,而不该从别的途径去寻找。不仅是戏曲,古往今来的文学作品都是这样。凡是表现人情事理的,都能够千古流传;凡是涉及荒唐怪异的,当时就会消亡。《五经》、《四书》、《左传》、《国语》、《史记》、《汉书》,以及唐宋八大家的作品,哪一部不是讲的人情,哪一部不关系到事理?直到今天还家传户诵,有谁埋怨它平淡无奇而把它扔掉吗?《齐谐》是记载怪异之事的书,当时就已经只有书名存了下来,到了后世就更加没有人看见过内容了。这不是平易可以长存、怪诞不能永传的明证吗?

有人说家常平凡的事已经被前人写尽了,连极小极细的情节也都让人用尽了,没有一点遗漏,并不是想要追求奇异的事情,而是想追求平易而做不到。我说不是这样。世上奇异的事不多,平常的事很多,自然万物的道理容易穷尽,人情却是难以穷尽的。君臣父子的关系存在一天,就有一天的忠孝节义。人的性情的表现,会越来越新奇,完全有许多前人没有做过的事情,留给后人去做,后人感情的强烈,相比起来要大大地超过前辈。只就女子而言，女人的德行没有比贞操更重要的了，女人的罪过没有比妒忌更严重的了。自古以来，女人守节的事，从剪头发、断胳膊、刺破脸颊、损伤身体，直到自杀也就打止了。近来，誓守贞节的女人，竟然有挖肠剖腹，自己碰死在贵人的堂前以示坚贞不屈的。还有的不用利器，谈笑间死去，就像得道高僧坐化一样。难道这不是在伦理之内，自然有着变化无穷的事吗？自古以来，嫉妒的妇女惩罚丈夫的办法，从罚跪、不许睡觉、捧油灯、顶水碗，到打屁股也就打止了。近来嫉妒凶悍的妇人，有的竟然把门锁住不让丈夫吃饭，将怒气发在别人身上，使得族中亲戚不敢上前，看着他死而不敢相救；还有的既不打骂，也不关禁，宽宏大量，好像废除了刑法一样，而她的丈夫在不动怒的威严面前，自动把小妾打发掉而甘心归顺。这岂不是说明，即使在内室之中，也有日新月异的事吗？这类事情很多，不可能一一列举。

这是说明前人没有见过的事，后人见了，就可供编写戏曲剧本使用。即使是前人已经见过的事情，也还有很多前人没有写尽的情感和没有描绘完全的状态。如果能够设身处地，深入挖掘，那么鬼神自然会显灵来帮助我，赐给我生花妙笔，借给我灵光的头脑，让我写出剧

本，让人只欣赏我极新极艳的曲词，全然忘记它是老掉牙的旧事。这是编剧的最高境界，我有这个志向，不过还没能实现。

审虚实

【原文】

传奇所用之事，或古或今，有虚有实，随人拈取。古者，书籍所载，古人现成之事也；今者，耳目传闻，当时仅见之事也；实者，就事敷陈，不假造作，有根有据之谓也；虚者，空中楼阁，随意构成，无影无形之谓也。人谓古事多实，近事多虚。予曰：不然。传奇无实，大半皆寓言耳。欲劝人为孝，则举一孝子出名，但有一行可纪，则不必尽有其事。凡属孝亲所应有者，悉取而加之，亦犹纣之不善，不如是之甚也，一居下流，天下之恶皆归焉。其余表忠表节与种种劝人为善之剧，率同于此。若谓古事皆实，则《西厢》、《琵琶》推为曲中之祖，莺莺果嫁君瑞乎？蔡邕之饿莩其亲，五娘之干蛊其夫，见于何书？果有实据乎？孟子云："尽信书，不如无书。"盖指《武成》而言也。经史且然，矧杂剧乎？

凡阅传奇而必考其事从何来、人居何地者，皆说梦之痴人，可以不答者也。然作者秉笔，又不宜尽作是观。若纪目前之事，无所考究，则非特事迹可以幻生，并其人之姓名亦可以凭空捏造，是谓虚则虚到底也。若用往事为题，以一古人出名，则满场脚色皆用古人，捏一姓名不得；其人所行之事，又必本于载籍，班班可考，创一事实不得。非用古人姓字为难，使与满场脚色同时共事之为难也；非查古人事实为难，使与本等情由贯串合一之为难也。

予既谓传奇无实，大半寓言，何以又云姓名事实必须有本？要知古人填古事易，今人填古事难。古人填古事，犹之今人填今事，非其不虑人考，无可考也。传至于今，则其人其事，观者烂熟于脑中，欺之不得，罔之不能，所以必求可据，是谓实则实到底也。若用一二古人作主，因无陪客，幻设姓名代之，则虚不似虚，实不成实，词家之丑态也，切忌犯之。

【译文】

传奇所选用的素材，有古有今，有虚有实，任由作者挑选。所谓古，就是书上记载的古人已完成的事情；所谓今，就是耳闻目见，当代才发生的事情；所谓实，就是根据事实铺陈，不假造情节，有根有据的事情；所谓虚，就是随意虚构的空中楼阁，无影无形的事情。有人说，古代的题材大多真实，当代的题材都很虚假。我说不对，传奇没有完全真实的，大多是寓言式的。要劝人行孝道，就举出一个孝子来，只要有一件孝行可写，就不必事事都是真的，凡是孝顺父母所应有的行为，都拿来放在他的身上，就像纣王虽然不好，也并不像人们说的那样坏，一旦亡国了,天下所有的恶行全都归到他身上了。其余表彰忠烈节义和种种劝人为善的剧本,大都是这样。如果说古代的题材都是真实的,那么《西厢记》、《琵琶记》被推为戏曲的鼻祖,崔莺莺果真嫁给张君瑞了吗?蔡邕把父母活活饿死,赵五娘替丈夫尽孝,记载在什么书上了吗?果真有真凭实据吗?孟子说:"全都相信书上说的,还不如没有书。"他是针对《尚书》中的《武成》这一篇而言的。经书、史书尚且如此,何况是杂剧呢?

凡是阅读传奇非要考证里面的事情从何而来、人物住在何地的,都是些说梦的痴人,可以用不着回答他们。然而作者在执笔写作的时候,又不应该全都这样考虑。如果写的是当前的事,没有什么需要考证,那么不仅是事迹可以虚构,连人物的姓名也可以凭空捏造,这就叫虚构就虚构到底。如果用过去的事作题材,用一个古人的故事来创作,那么满场的角色都要用古人,一个姓名也捏造不得;这个人所做的事,又必须依据书上的记载,一件一件都有来历,编一件事也不行。不是用古人的姓名困难,而是让他和全场的角色一起行动困难;不是考查古人的事迹困难,而是把他的事迹和情节组织贯穿起来困难。

我既然说传奇没有实事,大半是寓言,为什么又说姓名事实必须有依据呢?要知道古人写古代的事容易,今人写古代的事就难了。古人写古代的事就好比是今人写现在的事,不是作者不担心别人考证事实,而是没有什么可考证的。流传到现在,这个人、这件事,在观众心中已记得烂熟,欺骗不了他们,所以一定要有依据,这就叫做真实就真实到底。要是用一两个古人做主角,因为没有陪衬的人,就捏造几个姓名来代替,那就虚构又不像虚构,真实又不成其为真实,这是戏曲作家的丑态,一定不要犯这样的错误。

词采第二

【原文】

曲与诗余，同是一种文字。古今刻本中，诗余能佳而曲不能尽佳者，诗余可选而曲不可选也。诗余最短，每篇不过数十字，作者虽多，入选者不多，弃短取长，是以但见其美。曲文最长，每折必须数曲，每部必须数十折，非八斗长才，不能始终如一。微疵偶见者有之，瑕瑜并陈者有之，尚有踊跃于前，懈弛于后，不得已而为狗尾续貂者亦有之。演者、观者既存此曲，只得取其所长，恕其所短，首尾并录。无一部而删去数折，止存数折，一出而抹去数曲，止存数曲之理。此戏曲不能尽佳，有为数折可取而挈带全篇，一曲可取而挈带全折，使瓦缶与金石齐鸣者，职是故也。

予谓既工此道，当如画士之传真、闺女之刺绣，一笔稍差，便虑神情不似，一针偶缺，即防花鸟变形。使全部传奇之曲，得似诗余选本如《花间》、《草堂》诸集，首首有可珍之句，句句有可宝之字，则不愧填词之名，无论必传，即传之千万年，亦非侥幸而得者矣。

吾于古曲之中，取其全本不懈、多瑜鲜瑕者，惟《西厢》能之。《琵琶》则如汉高用兵，胜败不一，其得一胜而王者，命也，非战之力也。《荆》、《刘》、《拜》、《杀》之传，则全赖音律。文章一道，置之不论可矣。

【译文】

曲和词是同一类的作品。在古今刻本中，词显优美而曲却不见得好，是因为词能选，而曲不能选。词最短，一篇不过几十个字，作者虽然很多，入选的却不多，抛弃差的，留下好的，所以只看见词的优美。曲文最长，每折必须有几支曲子，一部戏必须有几十折，不是才高八斗的人，不可能始终如一地写好。所以有偶尔出现小毛病的，有好坏并存的，有虎头蛇尾的，不得已只好狗尾续貂、草草收场的也不少。演员和观众既然已经把这些曲目保留下来，只能取它的长处，原谅它的短处，从头到尾，一起保留。没有把一部戏删几折留几折，一出戏抹掉几支曲子留几支曲子的道理。所以，戏曲作品不可能全部都好，有几折可取就可以带动整部戏，有一支曲子可取就可以带动全折，出现良莠并存、优劣混杂的情况，就是这个原因。

我认为既然是在从事戏曲创作，就应当像画家写真、闺女刺绣一样，有一笔稍微没有画好，就担心神情不像，偶尔缺了一针，就要提防花鸟变形。如果所有传奇的曲子，能够像《花间集》、《草堂诗余》等词选本，每一首都有好句，每一句都有妙字，这才不愧“填词”的美名。不用说它一定会流传，即使流传千古，也不是什么侥幸之事。

我从戏曲作品当中，挑选全本情节结构紧凑完整、优点远远多于缺点的，只有《西厢记》合乎标准。《琵琶记》就像是汉高祖用兵，有胜有败，他靠一场决定性的胜仗做了皇帝，是命好，而不是会打仗。《荆钗记》、《刘知远》、《拜月亭》、《杀狗记》能够流传，全靠音律，至于文采方面，可放在一边不去说它。

贵显浅

【原文】

曲文之词采与诗文之词采非但不同，且要判然相反。何也？诗文之词采贵典雅而贱粗俗，宜蕴藉而忌分明。词曲不然，话则本之街谈巷议，事则取其直说明言。凡读传奇而有令人费解，或初阅不见其佳，深思而后得其意之所在者，便非绝妙好词，不问而知为今曲，非元曲也。

元人非不读书，而所制之曲，绝无一毫书本气，以其有书而不用，非当用而无书也，后人之曲则满纸皆书矣。元人非不深心，而所填之词，皆觉过于浅近，以其深而出之以浅，非借浅以文其不深也，后人之词则心口皆深矣。无论其他，即汤若士《还魂》一剧，世以配飨元人，宜也。问其精华所在，则以《惊梦》、《寻梦》二折对。予谓二折虽佳，犹是今曲，非元曲也。

《惊梦》首句云："袅晴丝，吹来闲庭院，摇漾春如线。"以游丝一缕，逗起情丝，发端一语，即费如许深心，可谓惨淡经营矣。然听歌《牡丹亭》者，百人之中有一二人解出此意否？若谓制曲初心并不在此，不过因所见以起兴，则瞥见游丝，不妨直说，何须曲而又曲，由晴丝而说及春，由春与晴丝而悟其如线也？若云作此原有深心，则恐索解人不易得矣。索解人既不易得，又何必奏之歌筵，俾雅人俗子同闻而共见乎？其余"停半晌，整花钿，没揣菱花，偷人半面"及"良辰美景奈何天，赏心乐事谁家院"，"遍青山，啼红了杜鹃"等语，字字俱费经营，字字皆欠明爽。此等妙语，止可作文字观，不得作传奇观。至如末幅"似虫儿般蠢动，把风情扇"，与"恨不得肉儿般团成片也，逗的个日下胭脂雨上鲜"，《寻梦》曲云："明放着白日青天，猛教人抓不到梦魂前"，"是这答儿压黄金钏匾"，此等曲，则去元人不远矣。而予最赏心者，不专在《惊梦》、《寻梦》二折，谓其心花笔蕊，散见于前后各折之中。《诊祟》曲云："看你春归何处归，春睡何曾睡，气丝儿，怎度的长天日。”“梦去知他实实谁，病来只送得个虚虚的你。做行云，先渴倒在巫阳会。”“又不得困人天气，中酒心期，魆魆的常如醉。”“承尊觑，何时何日，来看这女颜回？”《忆女》曲云：“地老天昏，没处把老娘安顿。”“你怎撇得下万里无儿白发亲。”“赏春香还是你旧罗裙。”《玩真》曲云：“如愁欲语，只少口气儿呵。”“叫的你喷嚏似天花唾。动凌波，盈盈欲下，不见影儿那。”此等曲，则纯乎元人，置之《百种》前后，几不能辨，以其意深词浅，全无一毫书本气也。

若论填词家宜用之书，则无论经传子史以及诗赋古文，无一不当熟读，即道家佛氏、九流百工之书，下至孩童所习《千字文》、《百家姓》，无一不在所用之中。至于形之笔端，落于纸上，则宜洗濯殆尽。亦偶有用着成语之处、点出旧事之时，妙在信手拈来，无心巧合，竟似古人寻我，并非我觅古人。此等造诣，非可言传，只宜多购元曲，寝食其中，自能为其所化。

而元曲之最佳者，不单在《西厢》、《琵琶》二剧，而在《元人百种》之中。《百种》亦不能尽佳，十有一二可列高、王之上，其不致家弦户诵，出与二剧争雄者，以其是杂剧而非全本，多北曲而少南音，又止可被诸管弦，不便奏之场上。今时所重，皆在彼而不在此，即欲不为纨扇之捐，其可得乎？

【译文】

曲文的词采和诗文的词采不但不同，而且要截然相反。为什么呢？诗文的词采注重典雅而鄙视粗俗，适宜含蓄而忌讳直露。戏曲却不是这样，语言来自日常生活中的街谈巷议，叙事则要简单明白。一部剧本凡是让人读了感到费解，或者初看不觉得它好，仔细想过以后才知道它的意味所在的，都不算是好剧本，不用问就知道是当代作品，不是元人戏曲。

元代的戏曲家并不是不读书，然而他们所编的戏曲却没有一丝一毫的书卷气，因为他们能做到胸中有书却不用，而不是要用却没有，而后人的剧本却满纸都是书。元人不是不深刻，但是他们所编的剧本，都让人觉得非常浅显，因为他们追求深入浅出，而不是用浅显的语言掩饰他们的肤浅。后人的剧本则是从思想到语言都是深奥的。不用说别的，只以汤显祖的《牡丹亭》来说，世人都认为它可以和元人作品媲美，确实是这样。问它的精华在哪里，就用《惊梦》、《寻梦》这两折戏来回答。我认为这两折虽然好，但仍然是今人的作品，而不是元人的杂剧。

《惊梦》首句唱道："袅晴丝，吹来闲庭院，摇漾春如线。"用一缕游丝，引出情思。开头一句就用了如此多的心思，真可以说得上是惨淡经营了。然而听唱《牡丹亭》的，一百个人当中有一两个人能理解这意思吗？如果说写戏的初衷并不在这里，不过是用看见的情景来作"起兴"，那么看见游丝，就不妨直说，何必转弯抹角，由晴空中的一缕游丝谈到春天，又由春天和游丝悟到情思如线呢？如果说这样写原本具有深意，那么恐怕就很难有人能理解了。既然难得有人理解，又何必在舞台上把它演出来，让雅士俗人一起来欣赏呢？其余的像"停半晌，整花钿，没揣菱花，偷人半面"和"良辰美景奈何天，赏心乐事谁家院"，"遍青山，啼红了杜鹃"等唱词，字字都苦心经营，可字字又都不够明白爽快。这样的妙句，只能作文章看，不能当作戏曲来欣赏。至于如结尾“似虫儿般蠢动，把风情扇”与“恨不得肉儿般团成片也，逗的个日下胭脂雨上鲜”，《寻梦》中的“明放着白日青天，猛教人抓不到梦魂前”和“是这答儿压黄金钏匾”这类曲词，就和元代作家的作品差不多了。而我最欣赏的，不全在《惊梦》、《寻梦》这两折里，我认为最好的文辞散见于前后各折当中。《诊祟》中的“看你春归何处归，春睡何曾睡，气丝儿，怎度的长天日”，“梦去知他实实谁，病来只送得个虚虚的你。做行云，先渴倒在巫阳会”，“又不得困人天气，中酒心期，魆魆的常如醉”，“承尊觑，何时何日，来看这女颜回”。《忆女》中的“地老天昏，没处把老娘安顿”，“你怎撇得下万里无儿白发亲”，“赏春香还是你旧罗裙”。《玩真》中的“如愁欲语，只少口气儿呵”，“叫的你喷嚏似天花唾。动凌波，盈盈欲下，不见影儿那”。这种曲词，纯粹是元人的语气，放在《元人百种曲》中，几乎不能辨别出来，因为它意义深刻而词语浅显，完全没有一丝书卷气。

如果说到戏曲家该用的书，那么经、传、子、史以及诗赋古文无一不该熟读，即使是道家、佛家、九流、百工的书，以至于儿童学习的《千字文》、《百家姓》，也没有一种派不上用场。但等到拿起笔进行创作时，就应该把这些痕迹全部洗掉。偶尔也有要用成语或典故的时候，最好是信手拈来，无心巧合，倒像古人来找我，而不是我去找古人。这种造诣，是难以用言语说清楚的，只能多买一些元曲，废寝忘食地读它，自然可以体会消化。

元曲当中最优秀的，不光只有《西厢记》、《琵琶记》，还分布在《元人百种曲》中。《元人百种曲》也不都是最好的，有十分之一二可以名列高则诚、王实甫之上。它们之所以没有家喻户晓，来和《西厢记》、《琵琶记》一争高低，是因为它们是杂剧而不是全本传奇，北方曲调多而南方曲调少，又只能配乐演唱，不便在舞台上演出。而现在所看重的，都是南曲而不是北曲，想不被人抛弃，怎么可能呢？

重机趣

【原文】

“机趣”二字，填词家必不可少。机者，传奇之精神；趣者，传奇之风致。少此二物，则如泥人土马，有生形而无生气。因作者逐句凑成，遂使观场者逐段记忆，稍不留心，则看到第二曲，不记头一曲是何等情形，看到第二折，不知第三折要作何勾当。是心口徒劳，耳目俱涩，何必以此自苦，而复苦百千万亿之人哉？故填词之中，勿使有断续痕，勿使有道学气。

所谓无断续痕者，非止一出接一出、一人顶一人，务使承上接下，血脉相连，即于情事截然绝

不相关之处，亦有连环细笋伏于其中，看到后来方知其妙，如藕于未切之时，先长暗丝以待，丝于络成之后，才知作茧之精，此言“机”之不可少也。

所谓无道学气者，非但风流跌宕之曲、花前月下之情，当以板腐为戒，即谈忠孝节义与说悲苦哀怨之情，亦当抑圣为狂，寓哭于笑，如王阳明之讲道学，则得词中三昧矣。阳明登坛讲学，反复辨说“良知”二字，一愚人讯之曰：“请问‘良知’这件东西，还是白的？还是黑的？”阳明曰：“也不白，也不黑，只是一点带赤的，便是良知了。”照此法填词，则离合悲欢，嘻笑怒骂，无一语一字不带机趣而止矣。

予又谓填词种子，要在性中带来，性中无此，做杀不佳。人问：性之有无，何处辨识？予曰：不难，观其说话行文，即知之矣。说话不迂腐，十句之中定有一二句超脱，行文不板实，一篇之内但有一二段空灵，此即可以填词之人也。不则另寻别计，不当以有用精神费之无益之地。

噫，“性中带来”一语，事事皆然，不独填词一节。凡作诗文书画、饮酒斗棋与百工技艺之事，无一不具夙根，无一不本天授。强而后能者，毕竟是半路出家，止可冒斋饭吃，不能成佛作祖也。

【译文】

“机趣”这两个字，是剧作家必不可少的。“机”就是传奇的精神，

“趣”就是传奇的风采。少了这两样东西，就如同泥人土马，有形体而没有生气。因为作者一句一句地凑成，导致观众一段一段地记忆，稍不留心，就会看到第二支曲子，忘了第一支曲子唱的是什么；看到第二折，不知道第三折会表演什么。这样心与口白白辛苦，耳朵和眼睛都觉艰涩，何必要这样自己受罪，又让千千万万的人受罪呢？所以在剧本中，不要有断续的痕迹，不要有道学气。

所谓不要有断续的痕迹，不仅要一出接一出，一人接一人，做到承上启下，血脉相连，即使是对于那些看上去毫无关系的情节，也要暗中埋有伏笔，看到后来，才知道其中的妙用，就像藕在没有切开之前，里面就暗中长了丝，丝缠好之后才知道它的精巧，这就是所说的不可缺少了“机”。

所谓没有道学气，不但指写风流跌宕的曲调、花前月下的情感，应该避免呆板迂腐，即使是体现忠孝节义与描写悲苦哀怨的情感，也应该狂放不羁、寓哭于笑，能做到像王阳明讲道学一样，就是掌握了戏曲的诀窍了。王阳明有一次登台讲学，反复解释“良知”这两个字，一个蠢人问他说：“请问‘良知’这件东西是白的还是黑的？”王阳明说：“也不白，也不黑，只是有一点带红的，就是良知了。”按照这种方法编剧本，那么悲欢离合、嬉笑怒骂，没有一句话一个字不带机趣了。

我还认为，编剧的素质是从天性中带来的，天性没有这种才华，就是拼死命也写不好。有人问：天性中有没有，怎么才能辨别呢？我说不难，只要看他说话写文章就可以了。说话不迂腐，十句话中必定有一两句洒脱的话；作文不呆板，一篇文章之中只要有一两段幽默的言语，这就是可以编写剧本的人了。否则还是另谋出路，不要把有用的精力浪费在没有意义的事情上。

唉！“性中带来”这句话，不仅戏曲创作，任何事情都是一样。凡是诗文书画、饮酒斗棋和各种工艺技巧，没有一样不是靠天赋。那些勉强学会去做的人，毕竟是半路出家，只能混口饭吃，成不了大师。

戒浮泛

【原文】

词贵显浅之说，前已道之详矣。然一味显浅而不知分别，则将日流粗俗，求为文人之笔而不可得矣。元曲多犯此病，乃矫艰深隐晦之弊而过焉者也。

极粗极俗之语，未尝不入填词，但宜从脚色起见。如在花面口中，则惟恐不粗不俗，一涉生、旦之曲，便宜斟酌其词。无论生为衣冠仕宦，旦为小姐夫人，出言吐词当有隽雅舂容之度。即使生为仆从，旦作梅香，亦须择言而发，不与净、丑同声。以生、旦有生、旦之体，净、丑有净、丑之腔故也。元人不察，多混用之。观《幽闺记》之陀满兴福，乃小生脚色，初屈后伸之人也。其《避兵》曲云："遥观巡捕卒，都是棒和枪。"此花面口吻，非小生曲也。均是常谈俗语，有当用于此者，有当用于彼者。又有极粗极俗之语，止更一二字，或增减一二字，便成绝新绝雅之文者。神而明之，只在一熟。当存其说，以俟其人。

填词义理无穷，说何人，肖何人，议某事，切某事，文章头绪之最繁者，莫填词若矣。予谓总其大纲，则不出“情景”二字。景书所睹，情发欲言，情自中生，景由外得，二者难易之分，判如霄壤。以情乃一人之情，说张三要像张三，难通融于李四。景乃众人之景，写春夏尽是春夏，止分别于秋冬。

善填词者，当为所难，勿趋其易。批点传奇者，每遇游山玩水、赏月观花等曲，见其止书所见，不及中情者，有十分佳处，只好算得五分，以风云月露之词，工者尽多，不从此剧始也。

善咏物者，妙在即景生情。如前所云《琵琶·赏月》四曲，同一月也，牛氏有牛氏之月，伯喈有伯喈之月。所言者月，所寓者心。牛氏所说之月，可移一句于伯喈？伯喈所说之月，可挪一字于牛氏乎？夫妻二人之语，犹不可挪移混用，况他人乎？

人谓此等妙曲，工者有几？强人以所不能，是塞填词之路也。予曰：不然。作文之事，贵于专一。专则生巧，散乃入愚；专则易于奏工，散者难于责效。百工居肆，欲其专也；众楚群咻，喻其散也。舍情言景，不过图其省力，殊不知眼前景物繁多，当从何处说起？咏花既愁遗鸟，赋月又想兼风。若使逐件铺张，则虑事多曲少；欲以数言包括，又防事短情长。辗转推敲，已费心思几许，何如只就本人生发，自有欲为之事，自有待说之情，念不旁分，妙理自出。如发科发甲之人，窗下作文，每日止能一篇二篇，场中遂至七篇。窗下之一篇二篇未必尽好，而场中之七篇，反能尽发所长，而夺千人之帜者，以其念不旁分，舍本题之外，并无别题可做，只得走此一条路也。吾欲填词家舍景言情，非责人以难，正欲其舍难就易耳。

【译文】

戏曲语言贵在浅显的道理，前面已经说得很详细了。但是一味浅显而不懂得分别对待，就会渐渐流于粗俗，想要写出点像文人手笔的东西来就不可能了。元曲有很多犯有这种毛病，这是想要改变晦涩深奥的弊端却过了头的缘故。

极其粗俗的语言，不见得不能写进剧本，但要从角色的身份出发。比如花脸口中的话，唯恐不粗俗，但涉及生、旦的曲词，就应该仔细斟酌了。且不说生角扮的是达官贵人，旦角扮的是小姐夫人，说出的话应该有雍容典雅的气度，即使生角扮的是仆人，旦角扮的是丫环，也应该有选择地说话，不能和净、丑口气相同。因为生、旦有生、旦的规矩，净、丑有净、丑的腔调。元人没有分清楚，大多是混杂着用。看《幽闺记》中的陀满兴福，是个小生角色，开始受到屈辱，后来得志。他在《避兵》一曲中唱道："遥观巡捕卒，都是棒和枪。"这是花脸的口气，不是小生的曲词。同样是平常俗语，有的应当放在这里，有的应当放在那里。还有极其粗俗的语言，只改变一两个字，或增减一两个字，便成为极其新鲜雅致的语言。出神入化，只在于熟练。我把这个观点提出来，等待别人来验证。

戏曲创作的道理无穷无尽，说什么人要像什么人，谈论某件事要切合某件事。写文章头绪最多的，莫过于戏曲了。我认为归纳起来，不外乎“情景”两个字。景是把看到的写出来，情是把想说的说出来。情是从人内心发出来的，景是由外部得到的，两者的难易有天壤之别。因为情是一个人的情，描写张三的情要像张三，不能和李四混同。景是大家的景，写春夏就是春夏，只要和秋冬区分就行了。

善于编剧的人，应该写难写的东西，而不应该找容易的写。评点戏曲的人，遇到游山玩水、赏月观花的曲子，看到作者只描写见到的景物而没有抒情的，就算写得十分好，也只能算五分。因为写自然景物词句，写得好的人很多，不是从这部戏才开始有的。

善于咏物的人，妙在能够即景生情。像前面所说的《琵琶记·赏月》中的四支曲子，同是一个月亮，牛氏有牛氏的月亮，蔡伯喈有蔡伯喈的月亮。唱的是月亮，表达的是心情。牛氏所唱的月亮，能移一句到蔡伯喈的唱词中吗？蔡伯喈所唱的月亮，可以挪一个字到牛氏的唱词中吗？夫妻两人的话，尚且不能够随便挪移混用，何况是别的人呢？

有人说，这样绝妙的曲词，又有几个人写得出，这是强人所难，是要堵塞戏曲创作的路呀。我认为不是这样。作文章贵在专一。专一就能生巧，分心就会变蠢；专一容易成功，分心难有成效。工匠聚集在作坊中，是想要他们专心；有很多人吵闹，就会分心。不去抒情而去写景，不过是图省力，却不知道眼前景物繁多，应该从什么地方写起呢？咏花就担心遗漏了鸟，吟月又想写风。如果一件件事情铺陈写来，又担心事多曲少；想用几句话概括，又要防备事短情长。反复考虑推敲，已经费了许多心思，不如只从自己内心出发，自然会有想写的事，自然会有要抒的情。心念不分散，自然能写出好东西。就像中了科举的人，在家里窗下写文章，每天只能写一两篇，到考场中却能写到七篇。家里写的一两篇不一定都好，而考场上写的七篇，反而能够把自

己的长处完全发挥出来，在千百名考生当中取得名次，因为他思想集中，除了考试题目外，再没有其他的事情可做，只能走这一条路。我希望剧作家放弃写景而去抒情，不是给他们出难题，正是希望他们舍难而就易。

忌填塞

【原文】

填塞之病有三：多引古事，迭用人名，直书成句。其所以致病之由亦有三：借典核以明博雅，假脂粉以见风姿，取现成以免思索。而总此三病与致病之由之故，则在一语。一语维何？曰：从未经人道破。一经道破，则俗语云"说破不值半文钱"，再犯此病者鲜矣。

古来填词之家，未尝不引古事，未尝不用人名，未尝不书现成之句，而所引所用与所书者，则有别焉：其事不取幽深，其人不搜隐僻，其句则采街谈巷议，即有时偶涉诗书，亦系耳根听熟之语、舌端调惯之文，虽出诗书，实与街谈巷议无别者。

总而言之，传奇不比文章，文章做与读书人看，故不怪其深，戏文做与读书人与不读书人同看，又与不读书之妇人小儿同看，故贵浅不贵深。使文章之设，亦为与读书人、不读书人及妇人小儿同看，则古来圣贤所作之经传，亦只浅而不深，如今世之为小说矣。

人曰：文人之作传奇与著书无别，假此以见其才也，浅则才于何见？予曰：能于浅处见才，方是文章高手。施耐庵之《水浒》，王实甫之《西厢》，世人尽作戏文小说看，金圣叹特标其名曰“五才子书”、“六才子书”者，其意何居？盖愤天下之小视其道，不知为古今来绝大文章，故作此等惊人语以标其目。噫，知言哉！

【译文】

填塞的毛病有三点：引用很多典故，重叠使用人名，直接抄写现成的句子。造成这种毛病的原因也有三点：借使用典故来显示自己学识渊博；借涂脂抹粉来表现风雅；用现成的句子以免于思考。概括这三种毛病和造成毛病的原因，只需一句话。是句什么话呢？是：从来没有被人说破。一旦被人说破了，就像俗语说的“说破不值半文钱”，再犯这种毛病的人就很少了。

自古以来的戏曲作家，不是不引用典故，不是不使用人名，不是不抄现成的句子。但是他们所引所用和所抄的东西，却有所不同。他们不引用深奥的典故，不使用偏僻的人名，现成的句子采用的是街谈巷议，即使偶然涉及诗书，也是人们听惯、说惯的句子，虽然出自诗书，实际上和街谈巷议没有什么区别。

总而言之，戏曲和文章不同，文章是写给读书人看的，所以不怕它深奥，而戏曲是写给读书人和不读书人，甚至不读书的妇女小孩一起看的，所以贵在浅显不在深奥。如果文章也是写给读书人和不读书人，甚至不读书的妇女小孩一起看的，那么自古以来圣贤所写的经传，也只会浅显而不深奥，就像现代的小说了。

有人说：文人创作戏曲和写文章没有区别，都是借此来显现他们的才华，如果写得浅显，又怎么显现才华呢？我认为：能在浅显的地方显现出才华来，才是写文章的高手。施耐庵的《水浒传》和王实甫的《西厢记》，世人都把它们当作戏曲小说看待，而金圣叹却特地把它们标名为“第五才子书”、“第六才子书”，他是什么用意呢？大概是因为他对天下人小看这些作品而不知道它们是古往今来最好的文章感到愤慨，因此故意用这种惊人的话来给它们做标题。啊，真是有见识呀！

音律第三

【原文】

作文之最乐者，莫如填词，其最苦者，亦莫如填词。填词之乐(详后《宾白》之第二幅)，上天入地，作佛成仙，无一不随意到，较之南面百城，洵有过焉者矣。至说其苦，亦有千态万状，拟之悲伤疾痛、桎梏幽囚诸逆境，殆有甚焉者。请详言之。

他种文字，随人长短，听我张弛，总无限定之资格。今置散体弗论，而论其分股、限字与调声叶律者。

分股则帖括时文是已。先破后承，始开终结，内分八股，股股相对，绳墨不为不严矣。然其股法、句法、长短由人，未尝限之以数，虽严而不谓之严也。

限字则四六排偶之文是已。语有一定之字，字有一定之声，对必同心，意难合掌，矩度不为不肃矣。然止限以数，未定以位，止限以声，未拘以格，上四下六可，上六下四亦未尝不可，仄平平仄可，平仄仄平亦未尝不可，虽肃而实未尝肃也。

调声叶律，又兼分股、限字之文，则诗中之近体是已。起句五言，则句句五言；起句七言，则句句七言；起句用某韵，则以下俱用某韵；起句第二字用平声，则下句第二字定用仄声，第三、第四又复颠倒用之。前人立法亦云苛且密矣。然起句五言，句句五言，起句七言，句句七言，便有成法可守。想入五言一路，则七言之句不来矣；起句用某韵，以下俱用某韵，起句第二字用平声，下句第二字定用仄声，则拈得平声之韵，上去入三声之韵，皆可置之不问矣；守定平仄、仄平二语，再无变更，自一首以至千百首皆出一辙，保无朝更夕改之令阻人适从矣，是其苛犹未甚，密犹未至也。

至于填词一道，则句之长短，字之多寡，声之平上去入，韵之清浊阴阳，皆有一定不移之格。长者短一线不能，少者增一字不得，又复忽长忽短，时少时多，令人把握不定。当平者平，用一仄字不得；当阴者阴，换一阳字不能。调得平仄成文，又虑阴阳反复；分得阴阳清楚，又与声韵乖张。令人搅断肺肠，烦苦欲绝。此等苛法，尽勾磨人。作者处此，但能布置得宜，安顿极妥，便是千幸万幸之事，尚能计其词品之低昂、文情之工拙乎？

予襁褓识字，总角成篇，于诗书六艺之文，虽未精穷其义，然皆浅涉一过。总诸体百家而论之，觉文字之难，未有过于填词者。予童而习之，于今老矣，尚未窥见一斑，只以管窥蛙见之识，谬语同心，虚赤帜于词坛，以待将来。作者能于此种艰难文字显出奇能，字字在声音律法之中，言言无资格拘挛之苦，如莲花生在火上，仙叟弈于橘中，始为盘根错节之才、八面玲珑之笔，寿名千古，衾影何惭！

而千古上下之题品文艺者，看到传奇一种，当易心换眼，别置典刑。要知此种文字作之可怜，出之不易，其楮墨笔砚，非同己物，有如假自他人，耳目心思效用不能，到处为人掣肘，非若诗赋古文，容其得意疾书，不受神牵鬼制者。七分佳处，便可许作十分，若到十分，即可敌他种文字之二十分矣。予非左袒词家，实欲主持公道，如其不信，但请作者同拈一题，先作文一篇或诗一首，再作填词一曲，试其孰难孰易，谁拙谁工，即知予言之不谬矣。然难易自知，工拙必须人辨。

词曲中音律之坏，坏于《南西厢》。凡有作者，当以之为戒，不当取之为法。非止音律，文艺亦然。请详言之。

填词除杂剧不论，止论全本，其文字之佳、音律之妙，未有过于《北西厢》者。自南本一出，遂变极佳者为极不佳，极妙者为极不妙。推其初意，亦有可原，不过因北本为词曲之豪，人人赞羡，但可被之管弦，不便奏诸场上，但宜于弋阳、四平等俗优，不便强施于昆调，以系北曲而非南曲也。兹请先言其故。

北曲一折，止隶一人，虽有数人在场，其曲止出一口，从无互歌迭咏之事。弋阳、四平等腔，字多音少，一泄而尽，又有一人启口，数人接腔者，名为一人，实出众口，故演《北西厢》甚易。昆调悠长，一字可抵数字，每唱一曲，又必一人始之，一人终之，无可助一臂者，以长江大河之全曲，而专责一人，即有铜喉铁齿，其能胜此重任乎？此北本虽佳，吴音不能奏也。作《南西厢》者，意在补此缺陷，遂割裂其词，增添其白，易北为南，撰成此剧，亦可谓善用古人、喜传佳事者矣。然自予论之，此人之于作者，可谓功之首而罪之魁矣。所谓功之首者，非得此人，则俗优竞演，雅调无闻，作者苦心，虽传实没。所谓罪之魁者，千金狐腋，剪作鸿毛，一片精金，点成顽铁。若是者何？以其有用古之心而无其具也。

今之观演此剧者，但知关目动人，词曲悦耳，亦曾细尝其味、深绎其词乎？使读书作古之人，取《西厢》南本一阅，句栉字比，未有不废卷掩鼻，而怪秽气熏人者也。若曰：词曲情文不浃，以其就北本增删，割彼凑此，自难贴合，虽有才力无所施也。然则宾白之文，皆由己作，并未依傍原本，何以有才不用，有力不施，而为俗口鄙恶之谈，以秽听者之耳乎？且曲文之中，尽有不就原本增删，或自填一折以补原本之缺略，自撰一曲以作诸曲之过文者，此则束缚无人，操纵由我，何以有才不用，有力不施，亦作勉强支吾之句，以混观者之目乎？使王实甫复生，看演此剧，非狂叫怒骂，索改本而付之祝融，即痛哭流涕，对原本而悲其不幸矣。

嘻！续《西厢》者之才，去作《西厢》者，止争一间，观者群加非议，谓《惊梦》以后诸曲，有如狗尾续貂。以彼之才，较之作《南西厢》者，岂特奴婢之于郎主，直帝王之视乞丐！乃今之观者，彼施责备，而此独包容，已不可解；且令家尸户祝，居然配飨《琵琶》，非特实甫呼冤，且使则诚号屈矣！

予生平最恶弋阳、四平等剧，见则趋而避之，但闻其搬演《西厢》，则乐观恐后。何也？以其腔调虽恶，而曲文未改，仍是完全不破之《西厢》，非改头换面、折手跛足之《西厢》也。南本则聋瞽、喑哑、驮背、折腰诸恶状，无一不备于身矣。

此但责其文词，未究音律。从来词曲之旨，首严宫调，次及声音，次及字格。九宫十三调，南曲之门户也。小出可以不拘，其成套大曲，则分门别户，各有依归，非但彼此不可通融，次第亦难紊乱。此剧只因改北成南，遂变尽词场格局：或因前曲与前曲字句相同，后曲与后曲体段不合，遂向别宫别调随取一曲以联络之，此宫调之不能尽合也；或彼曲与此曲牌名巧凑，其中但有一二句字数不符，如其可增可减，即增减就之，否则任其多寡，以解补凑不来之厄，此字格之不能尽符也；至于平仄阴阳与逐句所叶之韵，较此二者其难十倍，诛之将不胜诛，此声音之不能尽叶也。词家所重在此三者，而三者之弊，未尝缺一，能使天下相传，久而不废，岂非咄咄怪事乎？

更可异者，近日词人因其熟于梨园之口，习于观者之目，谓此曲第一当行，可以取法，用作曲谱；所填之词，凡有不合成律者，他人执而讯之，则曰："我用《南西厢》某折作对子，如何得错！"噫，玷《西厢》名目者此人，坏词场矩度者此人，误天下后世之苍生者，亦此人也。此等情弊，予不急为拈出，则《南西厢》之流毒，当至何年何代而已乎！

向在都门，魏贞庵相国取崔、郑合葬墓志铭示予，命予作《北西厢》翻本，以正从前之谬。予谢不敏，谓天下已传之书，无论是非可否，悉宜听之，不当奋其死力与较短长。较之而非，举世起而非我；即较之而是，举世亦起而非我。何也？贵远贱近，慕古薄今，天下之通情也。谁肯以千古不朽之名人，抑之使出时流下？彼文足以传世，业有明征；我力足以降人，尚无实据。以无据敌有征，其败可立见也。时龚芝麓先生亦在座，与贞庵相国均以予言为然。

向有一人欲改《北西厢》，又有一人欲续《水浒传》，同商于予。予曰："《西厢》非不可改，《水浒》非不可续，然无奈二书已传，万口交赞，其高踞词坛之座位，业如泰山之稳、磐石之固，欲遽叱之使起而让席于余，此万不可得之数也。无论所改之《西厢》、所续之《水浒》，未必可继后尘，即使高出前人数倍，吾知举世之人不约而同，皆以'续貂'、'蛇足'四字，为新作之定评矣。"二人唯唯而去。

此予由衷之言，向以诫人，而今不以之绳己，动数前人之过者，其意何居？曰：存其是也。放郑声者，非仇郑声，存雅乐也；辟异端者，非仇异端，存正道也；予之力斥《南西厢》，非仇《南西厢》，欲存《北西厢》之本来面目也。若谓前人尽不可议，前书尽不可毁，则杨朱、墨翟亦是前人，郑声未必无底本，有之亦是前书，何以古圣贤放之辟之，不遗余力哉？予又谓《北西厢》不可改，《南西厢》则不可不翻。何也？世人喜观此剧，非故嗜痂，因此剧之外别无善本，欲睹崔、张旧事，舍此无由。地乏朱砂，赤土为佳，《南西厢》之得以浪传，职是故也。使得一人焉，起而痛反其失，别出新裁，创为南本，师实甫之意，而不必更袭其词，祖汉卿之心，而不独仅续其后，若与《北西厢》角胜争雄，则可谓难之又难，若止与《南西厢》赌长较短，则犹恐屑而不屑。予虽乏才，请当斯任，救饥有暇，当即拈毫。

《南西厢》翻本既不可无，予又因此及彼，而有志于《北琵琶》一剧。蔡中郎夫妇之传，既以《琵琶》得名，则“琵琶”二字乃一篇之主，而当年作者何以仅标其名，不见拈弄其实？使赵五娘描容之后，果然身背琵琶，往别张大公，弹出北曲哀声一大套，使观者听者涕泗横流，岂非《琵琶记》中一大畅事？而当年见不及此者，岂元人各有所长，工南词者不善制北曲耶？使王实甫作《琵琶》，吾知与千载后之李笠翁必有同心矣。

予虽乏才，亦不敢不当斯任。向填一折付优人，补则诚原本之不逮，兹已附入四卷之末，尚思扩为全本，以备词人采择。如其可用，谱为弦索新声，若是，则《南西厢》、《北琵琶》二书可以并行。虽不敢望追踪前哲，并辔时贤，但能保与自手所填诸曲（如已经行世之前后八种，及已填未刻之内外八种）合而较之，必有浅深疏密之分矣。然著此二书，必须杜门累月，窃恐饥来驱人，势不由我。安得雨珠雨粟之天，为数十口家人筹生计乎？伤哉！贫也。

【译文】

文学创作最快乐的，莫过于曲词创作，而最痛苦的，也莫过于曲词创作。曲词创作的快乐，详见后面的《宾白》第二篇，在于能上天入地，成佛成仙，没有一件事情不随心所欲，比起称王封侯来，确实有过之而无不及。至于说到它的痛苦，也是各种各样，比悲伤病痛、身陷囹圄等逆境大概还要痛苦得多。请让我详细说明。

其他的文章，可以随意写得或长或短，安排得紧凑或松弛，没有一定的格式。现在撇开散文不说，只谈论那些分股、限字和讲究声调押韵的。

分股就是现在流行的八股文，首先破题，接着承题，开始议论，最后总结。里面有八段文字，其中又分别有两段文字对偶，规矩不能说不严格了。然而它的段落和句子的长短可以随意，没有限定，虽然表面上严格，也还不能说是真正严格。

限字指的是四六句的骈体文，每句话有一定的字数，每个字有一定的声调，语句依规则相对应，音律、联意又不能重复，规矩不可说不严格了。然而它只限定了字数，没有限定位置，只限定了声调，没有限定格律。上面四个字下面六个字可以，上面六个字下面四个字也未尝不可，仄平平仄可以，平仄仄平也未尝不可。虽说严格，实际也说不上特别严格。

既讲究声调押韵，又要分股、限定字数的，就是诗中的近体诗。第一句是五个字就句句是五个字，第一句是七个字就句句是七个字。第一句用某一韵，以下各句就都用这个韵。第一句第二个字用平声，那么下一句第二个字必定要用仄声，第三句和第四句就相反。前人的规矩真是又苛刻又严密啊！然而第一句用五个字就句句是五个字，第一句七个字就句句七个字，这样就有一定的规矩可以遵循。想要写五言诗,就不想七言的句子;第一句用某一韵,以下各句都用这个韵;第一句第二个字用平声,下一句第二个字一定用仄声,那么就只用平声字,上声、去声、入声的字都可以置之不理了;遵守平仄仄平的原则,再也没有变化,从一首以致成百上千首都是一样,保证没有改来改去的规则让人无所适从,因此它苛刻还没有过分,严密还没有到极点啊。

说到曲词创作的格式,句子的长短,字数的多少,声调的平上去入,字韵的清浊阴阳,都有固定不能改变的规则。长句子不能少一个字,短句子不能增一个字,而且又忽长忽短,时少时多,让人把握不定。应当用平声字的,一个仄声字也用不得;应当用阴平的,不能换一个阳平字。使得平仄成文了,又要担心阴阳颠倒;分清楚了阴阳,又怕和声律不协调。让人搅断肝肠,烦躁苦恼得要命。这样苛刻的法则,太折磨人了。作者这时只要能布置适宜、安排妥当,就千幸万幸了,难道还顾得上词品的高低、文采的优劣吗?

我幼年识字,少年时就会写文章,对于诗书、六艺,虽然没有精通穷尽其中的义理,但都粗浅地涉猎过。总括各种文体来说,我觉得没有比曲词创作更难的了。我小时候就开始学习它,现在老了,还没有掌握它一点规律。只能把自己一点肤浅的认识告诉给同行,期待将来有高手成为词坛领袖。作者能够在这种艰难的创作中显示出罕见的才能,字字都符合声律,句句都不感到格律束缚之苦,能像莲花生在火上,仙翁在橘中下棋那样从容,才称得上盘根错节之才、八面玲珑之笔,能够名垂千古,问心无愧。

古往今来品评文艺的人,看待戏曲剧本,应当换一种角度,采用另外一种规范。要知道写戏曲的时候可怜,写出来不容易。写的时候,纸墨笔砚仿佛不是自己的,就像是向别人借来的;耳目心思也仿佛不能发挥作用,到处受人牵制,不像诗赋文章,能够让人奋笔疾书,不受任何羁绊。一部戏曲作品有七分好，就可算作十分，如果有十分好，便可以比得上其他文字的二十分好了。我不是偏袒戏曲作家，实在是想要主持公道。如果有谁不信，便请他挑选一个题目，先做一篇文章或一首诗，再填一首曲词，试试看哪个容易哪个难，哪个写得好哪个写得差，就知道我说的话不错了。然而是难是易自己知道，是好是坏必须别人辨别。

戏曲中音律最差的是《南西厢》。所有作者，应当以之为戒，不要去学它。不仅仅是音律，在文字方面也一样。请让我详细说明。

曲词创作除掉杂剧不说，只说全本戏，在文字的优美、音律的佳妙方面，没有超过《北西厢》的。自从《南西厢》出来以后，就把最优美的文字变成最不优美的，最美妙的音律变成最不美妙的了。然而推究作者最初的用意，也是情有可原。只因为《北西厢》是戏曲中最优秀的作品，人人赞美，只能配上音乐，不方便在场上演出，只适合弋阳、四平等腔调，不适合勉强用昆调，因为它是北曲而不是南曲。这里先让我谈谈其中的原因。

北曲中的一折戏，只为一个人而设，虽然有几个人在场，曲词却只由一个人唱，从来没有对歌互唱的事。弋阳、四平等唱腔，唱词多曲子短，一下就唱完了。而且一个人开始唱，有许多人帮腔，名义上是一个人唱，实际上是众人唱，所以演出《北西厢》很容易。而昆调曲调悠长，一个字抵得上几个字，每唱一支曲子，又不一定要一个人从头唱到尾，没有帮腔的人。把那么长的一整套曲子，让一个人来唱，即使他有钢铁般的喉咙，又怎能承受这样的重担呢？所以《北西厢》虽然好，但不能用吴音去演唱。创作《南西厢》的人，是想要弥补这个缺陷，于是割裂它的曲词，增加它的宾白，把北曲变成南曲，编成这个剧本，也可以说是善于利用古人、爱传播好事的人了。然而在我看来，这个人对原作者，可以说既是功臣又是罪魁了。说他是功臣，是因为如果没有他，就只有民间演员竞相上演的《西厢记》，而听不到高雅的曲调，作者一片苦心，虽说流传下来，实际上却被湮没了。说他是罪魁，是因为他把价值千金的狐皮剪成碎块，把一块金子点成了废铁。这是为什么呢？这是因为他有利用古人的心思却没有那种才能。

如今的人们观看这部戏，只知道它情节动人，词曲悦耳，可曾细品其味、深究其词吗？让读古书的人看一看《南西厢》，逐字逐句地考校一番，没有人不会丢下它掩着鼻子嫌它秽气熏人的。如果说，该剧曲词文理不通，是因为它是在《北西厢》的基础上增删而成的，这里割一点，那里补一点，自然难以贴切，作者虽有才华，也无从施展。那么，宾白的文字都是作者自己写的，并没有依据原本，为什么有才华却不发挥，有能力而不施展，非要说些粗俗丑恶的话来弄脏听众的耳朵呢？而且曲词当中，有很多不是根据原本增删的，有的是自己写一折戏来弥补原本的缺省，有的是自己写一支曲子来作各曲的过渡。这就没有人束缚，全凭作者自己发挥，为什么有才华却不发挥，有能力而不施展，还是照样写些勉勉强强、支支吾吾的句子，蒙混观众的眼睛呢？假使王实甫复活，看到这部戏，他如果不狂叫怒骂，索取改本把它烧掉，也会痛哭流涕，对着原本哀叹它的不幸。

唉，续写《西厢记》的人的才华，比原作者只差一点点，而观众纷纷加以非议，说《惊梦》以后的曲子有如狗尾续貂。然而他的才华，比起《南西厢》的作者，岂止是主人和奴婢，简直是帝王和乞丐的差别。可是如今的观众，对续书求全责备，反而对《南西厢》包容，这已经是不可理解的了；而且还家家户户传诵，把它和《琵琶记》相媲美，这不仅会让王实甫喊冤，而且会让高则诚叫屈啊。

我一生最厌恶弋阳、四平等腔调，听到了就要远远避开，但是一听到要演出《西厢记》，就高兴地去看，唯恐落在别人后面。这是为什么呢？因为腔调虽然可恶，但是它的唱词并没有改变，仍然是完整无缺的《西厢记》，而不是改头换面、断手瘸腿的《西厢记》。《南西厢》却是集聋哑、盲目、驼背、弯腰等各种丑陋形状于一身了。

这里还只是批评它的文词，没有考究它的音律。自古以来戏曲的要旨，首先要求宫调严，其次是声音，然后才是字格。九宫十三调，是南曲的重要特点。短一点的折子戏可以不管，但是成套的全本大戏，就一定要分门别类，各有所属，不但彼此不能通融混用，前后次序也不能紊乱。这部戏只因为是把北曲改成了南曲，就完全改变了词曲的格局：有的因为前曲与前曲字句相同，后曲与后曲体段不合，就从别的宫调随意取一支曲子来联络，这是宫调不能完全相合的地方；有的那支曲子与这支曲子曲牌名偶然巧合，其中只有一两句的字数不同，如果能够增减，就增减一下来将就它，否则就任它多一点少一点，不去管它，这是字格不能完全相合的地方；至于平仄、阴阳和每一句所押的韵，比这两种要难上十倍，删改也删改不过来，这是声音不能完全相合的地方。戏曲作家应该重视的就是这三点，而这三点中的毛病，《南西厢》样样不缺，却能够长久地在天下流传，这不是咄咄怪事吗？

更加奇怪的是，近来词曲作者，因为《南西厢》被戏班子唱熟了，观众看惯了，就说这部戏是天下第一可行之戏，可以效法它来作曲谱；他们所写的曲词，凡有不符合音律的，别人拿这点来责问他，就说："我是按《南西厢》中某折写的，怎么会错！"唉，玷污《西厢记》名声的是这个人，破坏词场规矩法度的是这个人，贻误后世苍生的也是这个人。这些弊端，如果我不尽快把它指出来，那么《南西厢》的流毒，要到何年何代才能停止扩散呢？

我过去在都城的时候，魏贞庵相国把崔莺莺和郑恒合葬的墓志铭

给我看，要我写一部《北西厢》的翻本，来纠正以前的错误。我推辞了，说天下已经流传的书，不论是非对错，都应该听任它，不应该拼命去与它比高低。比它写得差，世人会起来非议我；即使比它写得好，世人也会起来非议我。为什么呢？因为贵远贱近、厚古薄今是天下人的常情。谁会把千古不朽的名人贬低到现代人之下呢？前人的作品足以传世，已经有了证明；我的能力能够超过别人，却没有确实的根据。用没有根据的事情去对付已经证明了的事情，我的失利马上就可以看到。当时龚芝麓先生也在场，他和贞庵相国都认为我说得对。

以前有一个人想要改写《北西厢》，又有一个人想续写《水浒传》，他们一起来和我商量。我说："《西厢记》不是不可以改，《水浒传》不是不可以续，怎奈这两本书已经广为流传，人人赞美，他们高踞文坛，地位已经像泰山一样稳定、磐石一样坚固，想要马上让他们起来把座位让出来，这是万万不可能的。不说所改的《西厢记》、所续的《水浒传》不一定比得上原作，即使比原作高明几倍，我也知道全世界的人都会不约而同地用'续貂'、'蛇足'这四个字，作为新作的最终评价。"两人点头离开了。

这是我的由衷之言，一向用来告诫别人，现在不用它来衡量自己，而动不动就数落前人的过失，是什么用意呢？我说：是为了保存正确的东西。排斥郑国的音乐，并不是仇视它，而是为了保存高雅的音乐；攻击异端，不是仇视它，而是为了保存正统；我极力批评《南西厢》，并不是仇视它，而是为了保存《北西厢》的本来面目。如果说前人全都不可以非议，以前的书全都不能批评，那么杨朱、墨翟也是前人，郑国的音乐不一定没有底本，如果有也是以前的书，为什么古代圣贤排斥它攻击它而不遗余力呢？我还认为《北西厢》不能改，《南西厢》则不能不改。为什么呢？世人喜欢看《南西厢》，并不是他们有喜欢坏东西的癖好，而是因为除了此剧之外，再也没有别的好本子，想要看崔、张的故事，不看这个就没别的办法了。地上缺乏朱砂，红土就是好东西，《南西厢》能够流传，就是因为这个原因。假使有一个人，能够出来彻底改正它的错误，别出心裁，创作一部《南西厢》，师法王实甫的原意，而不必因袭他的词句，沿袭关汉卿的用心，而不仅仅是跟在他的后面，那么如果想和《北西厢》争雄斗胜，可说是难上加难，如果只是和《南西厢》一比高下，就恐怕不值得比较了。我虽然缺乏才能，请让我担当此任，一旦有了闲暇时间，就马上动笔。

既然《南西厢》这一翻本不能没有，我又由此及彼，有志于翻改《北琵琶》一剧。蔡中郎夫妇的故事能够流传，既然是以《琵琶记》得名，那么“琵琶”两个字应该是全剧的主脑，然而为什么当年作者只标了一个名字，却没有弹奏琵琶的实事呢？如果赵五娘梳妆打扮之后，果真背着琵琶去和张大公告别，然后弹奏出一大套北曲中的悲哀曲子，让观众感动得痛哭流涕，难道不是《琵琶记》中一大妙事？而当年作者却看不到这一点，难道是因为元代作者各有所长，善于写南曲的就不善于写北曲吗？假使让王实甫写《琵琶记》，我知道他必定会和几百年以后的我有相同的想法。

我虽然缺少才能，也不敢不担当此任。以前我写过一折戏给演员，用来弥补高则诚原本的不足，现在附在第四卷的后面。我还在考虑把它扩充为全本，以供戏曲作家选择。如果可用，就把它谱制成新曲。这样，《南西厢》、《北琵琶》二书可以一起流传。虽然不敢奢望赶得上前人，和当代名家并驾齐驱，但能保证和自己所写的各种词曲（如已经刊行的前后八种曲和已写好尚未刊行的内外八种曲）一起比较，一定会有深浅疏密的区别。然而要写这两本书，必须闭门不出好几个月，我担心会为生计所迫，身不由己。怎么能够让老天掉下些珍珠、大米来，为我解决全家几十口人的生计问题呢？真让人伤心啊，贫穷！

恪守词韵

【原文】

一出用一韵到底，半字不容出入，此为定格。旧曲韵杂出入无常者，因其法制未备，原无成格可守，不足怪也。既有《中原音韵》一书，则犹畛域画定，寸步不容越矣。

常见文人制曲，一折之中，定有一二出韵之字，非曰明知故犯，以偶得好句不在韵中，而又不肯割爱，故勉强入之，以快一时之目者也。

杭有才人沈孚中者，所制《绾春园》、《息宰河》二剧，不施浮采，纯用白描，大是元人后劲。予初阅时，不忍释卷，及考其声韵，则一无定轨，不惟偶犯数字，竟以“寒山”、“桓欢”二韵，合为一处用之，又有以“支思”、“齐微”、“鱼模”三韵并用者，甚至以“真文”、“庚青”、“侵寻”三韵，不论开口闭口，同作一韵用者。长于用才而短于择术，致使佳调不传，殊可痛惜！

夫作诗填词同一理也。未有沈休文《诗韵》以前，大同小异之韵，或可叶入诗中。既有此书，即三百篇之风人复作，亦当俯就范围。李白诗仙，杜甫诗圣，其才岂出沈约下？未闻以才思纵横而跃出韵外，况其他乎？设有一诗于此，言言中的，字字惊人，而以一东二冬并叶，或三江七阳互施，吾知司选政者，必加摈黜，岂有以才高句美而破格收之者乎？词家绳墨，只在《谱》、《韵》二书，合谱合韵，方可言才。不则八斗难克升合，五车不敌片纸，虽多虽富，亦奚以为？

【译文】

一出戏一韵到底，半个字也不许用错，这是固定的格局。旧时的曲子用韵杂乱，经常有用错的，因为当时规矩尚未完备，原本就没有固定的规律可以遵守，这没有什么可怪罪的。既然有了《中原音韵》一书，就好像划定了界限，不容许越过半步。

经常见到文人创作的戏曲，一折当中，必定有一两个字用错了韵，并不是要明知故犯，而是因为偶然得来的好句子不在这个韵中，又舍不得割爱，所以勉强把它用上，以图一时之畅快。

杭州有个叫沈孚中的才子，他所编的《绾春园》、《息宰河》两出戏，没有用修饰，完全是白描的手法，可望追上元人。我第一次看的时候，爱不释手，待到考究它的声韵，则没有一点规范，不只是偶尔用错了几个字，还竟然把“寒山”、“桓欢”两韵合在一处使用，还有把“支思”、“齐微”、“鱼模”三韵一起用的，甚至把“真文”、“庚青”、“侵寻”三韵，不管是开口字、闭口字都当作一个韵使用。此人善于展示自己的才华却不善于运用技巧，致使这么好的戏曲不能流传，真是可惜！

作诗和写戏，是同一个道理。没有沈休文的《诗韵》之前，大同小异的声韵，或许可以写入诗中。既然有了这本书，那么即使是《诗经》的作者重新创作，也应当遵守规范。李白是诗仙，杜甫是诗圣，他们的才能难道在沈约之下吗？没有听说他们因为才思纵横而不顾声韵，何况其他的人呢？假如这里有一首诗，句句中肯，字字惊人，却把一东和二冬来押韵，或把三江、七阳互换，我知道主考官一定会加以摈弃，难道会因为才华高、句子美而破格录取他吗？戏曲作者的规范在《四声韵谱》、《中原音韵》二书中，只有合乎二书的规范，才可以谈才华，否则即使才高八斗也算不上一升，学富五车也抵不上一张纸，才华再高、学问再多，又有什么用呢？

凛遵曲谱

【原文】

曲谱者，填词之粉本，犹妇人刺绣之花样也。描一朵，刺一朵，画一叶，绣一叶，拙者不可稍减，巧者亦不能略增。然花样无定式，尽可日异月新，曲谱则愈旧愈佳，稍稍趋新，则以毫厘之差而成千里之谬。

情事新奇百出，文章变化无穷，总不出谱内刊成之定格。是束缚文人而使有才不得自展者，曲谱是也；私厚词人而使有才得以独展者，亦曲谱是也。使曲无定谱，亦可日异月新，则凡属淹通文艺者，皆可填词，何元人、我辈之足重哉？“依样画葫芦”一语，竟似为填词而发。妙在依样之中，别出好歹，稍有一线之出入，则葫芦体样不圆，非近于方，则类乎扁矣。葫芦岂易画者哉！明朝三百年，善“画胡芦”者，止有汤临川一人，而犹有病其声韵偶乖、字句多寡之不合者。甚矣，画葫芦之难，而一定之成样不可擅改也。

曲谱无新，曲牌名有新。盖词人好奇嗜巧，而又不得展其伎俩，无可奈何，故以二曲三曲合为一曲，熔铸成名，如《金索挂梧桐》、《倾杯赏芙蓉》、《倚马待风云》之类是也。此皆老于词学、文人善歌者能之，不则上调不接下调，徒受歌者揶揄。然音调虽协，亦须文理贯通，始可串离使合。如《金络索》、《梧桐树》是两曲，串为一曲，而名曰《金索挂梧桐》，以金索挂树，是情理所有之事也。《倾杯序》、《玉芙蓉》是两曲，串为一曲，而名曰《倾杯赏芙蓉》，倾杯酒而赏芙蓉，虽系捏成，犹口头语也。《驻马听》、《一江风》、《驻云飞》是三曲，串为一曲，而名曰《倚马待风云》，倚马而待风云之会，此语即入诗文中，亦自成句。凡此皆系有伦有脊之言，虽巧而不厌其巧。竟有只顾串合，

不询文义之通塞，事理之有无，生扭数字作曲名者，殊失顾名思义之体，反不若前人不列名目，只以"犯"字加之。如本曲《江儿水》而串入二别曲，则曰《二犯江儿水》；本曲《集贤宾》而串入三别曲，则曰《三犯集贤宾》。又有以"摊破"二字概之者，如本曲《簇御林》、本曲《地锦花》而串入别曲，则曰《摊破簇御林》、《摊破地锦花》之类，何等浑然，何等藏拙。更有以十数曲串为一曲而标以总名，如《六犯清音》、《七贤过关》、《九回肠》、《十二峰》之类，更觉浑雅。

予谓串旧作新，终是填词末着。只求文字好，音律正，即牌名旧杀，终觉新奇可喜。如以极新极美之名，而填以庸腐乖张之曲，谁其好之？善恶在实，不在名也。

【译文】

曲谱是编戏的粉底，就像是妇女绣花的图样，描一朵花，就绣一朵，画一片叶子，就绣一片叶子，笨拙的人不能少绣一点，灵巧的人也不能多绣一点。然而图样没有一定的式样，完全可以日新月异，而曲谱却是越旧越好，稍有一点追求新意，就会差之毫厘而谬以千里。

事物千奇百怪，文章变化无穷，但是都不能超出曲谱中的固定格式。这么说，束缚文人让他们有才华也施展不出来的，是曲谱；厚爱戏曲作家，让他们的才华能够充分施展的，也是曲谱。假使词曲没有固定的格式，也可以日新月异地变化，那么凡是粗通文学的人，都可以编戏了，元人和我们又怎么会被看重呢？“依样画葫芦”这句话，竟好像是专门为编戏而说的。妙就妙在依样画葫芦的时候能够区别出好坏来，稍微有一条线没画好，葫芦就会画不圆，不是方了就是扁了。葫芦难道是容易画的吗？明朝三百年时间里，善于“画葫芦”的，只有汤显祖一个人，但是还有人指责他声韵不对、字句多少不合规范。画葫芦也真是太难了啊，然而固定的图样又是不能擅自改变的。

曲谱没有新的，曲牌名有新的。大概因为戏曲作家喜欢新奇，却又不能卖弄他的手段，无可奈何，只好把两支、三支曲子合成一支曲子，造出一个新的名字，如《金索挂梧桐》、《倾杯赏芙蓉》、《倚马待风云》等就是这一类。只有对编戏有丰富经验、善于唱歌的文人才能做到，否则就会上调不接下调，只会让演唱者嘲笑。不过音律即使协调了，也必须文理贯通，才可以把分离的曲子合起来。如《金络索》、《梧桐树》是两支曲子，把它们连成一支曲子，名为《金索挂梧桐》，因为把金索挂在梧桐树上，是合乎情理的事情。《倾杯序》、《玉芙蓉》是两支曲子，串成一支曲子，就叫做《倾杯赏芙蓉》，倾杯中的酒来欣赏芙蓉，虽然是捏造的，也还是口头语。《驻马听》、《一江风》、《驻云飞》是三支曲子，串成一曲，叫做《倚马待风云》，倚马而待风云相会，这句话即使写入诗文中，也自然成句。这些曲牌名都说得过去，虽然机巧却并不让人讨厌。然而有只顾串连捏合，也不问文理是否通顺，合不合乎情理，就生造几个字作为曲牌名的，完全失去了顾名思义的含义，反而不如前人不造什么新名，只把“犯”字加到原来的名字上。如本曲叫《江儿水》，串入两支别的曲子，就叫做《二犯江儿水》；本曲叫《集贤宾》，串入三支别的曲子，就叫做《三犯集贤宾》。还有用“摊破”两字来概括的，如本曲《簇御林》、本曲《地锦花》，串入别的曲子，就叫做《摊破簇御林》、《摊破地锦花》等，多么自然，多么巧妙。更有的用十几支曲子串成一曲，标上一个总的名字，如《六犯清音》、《七贤过关》、《九回肠》、《十二峰》之类，更觉得浑成雅致。

我认为把旧的串连成新的，终究还是编戏中的下着。只要文字好，音律正，即使曲牌名十分陈旧，终究让人觉得新奇可喜。如果用极新极美的曲牌名，填上平庸、陈腐、不协调的曲词，又有谁会喜欢呢？作品好坏在于内容，而不在名称。

鱼模当分

【原文】

词曲韵书，止靠《中原音韵》一种，此系北韵，非南韵也。十年之前，武林陈次升先生欲补此缺陷，作《南词音韵》一书，工垂成而复辍，殊为可惜。予谓南韵深渺，卒难成书。填词之家即将《中原音韵》一书，就平、上、去三音之中，抽出入声字，另为一声，私置案头，亦可暂备南词之用。然此犹可缓。更有急于此者，则“鱼模”一韵，断宜分别为二。"鱼"之与"模",相去甚远,不知周德清当日何故比而同之,岂仿沈休文《诗韵》之例,以"元"、"繁"、"孙"三韵,合为"十三元"之一韵,必欲于纯中示杂,以存"大音希声"之一线耶?无论一曲数音,听到歇脚处,觉其散漫无归,即我辈置之案头,自作文字读,亦觉字句聱牙、声韵逆耳。倘有词学专家,欲其文字与声音媲美者,当令"鱼"自"鱼"而"模"自"模",两不相混,斯为极妥。即不能全出皆分,或每曲各为一韵,如前曲用"鱼",则用"鱼"韵到底,后曲用"模",则用"模"韵到底,犹之一诗一韵,后不同前,亦简便可行之法也。自愚见推之,作诗用韵,亦当仿此。另钞"元"字一韵,区别为三,拈得"十三元"者,首句用"元",则用"元"韵到底,凡涉"繁"、"孙"二韵者勿用,拈得"繁"、"孙"者亦然。出韵则犯诗家之忌,未有以用韵太严而反来指谪者也。

【译文】

戏曲所依据的韵书,只有《中原音韵》一种,这是北曲的音韵,不是南曲的音韵。十年之前,武林陈次升先生想要弥补这个缺陷,写作《南词音韵》一书,快要写完却又放弃了,真是可惜。我认为南曲的音韵非常深奥,很难写成书。戏曲作家就把《中原音韵》一书,在平、上、去三声当中,把入声字抽出来,另作一声,放在自己案头,也可暂备写南曲之用。然而这还可以缓一缓,还有比这个更急切的,那就是"鱼模"这一韵,绝对应当分成两个韵。"鱼"和"模",相差很远,不知道周德清当时为什么会把它们放在一起，难道仿效沈休文《诗韵》的体例，把“元”、“繁”、“孙”三韵合为“十三元”这一个韵，一定要在简单中表示复杂，以表示“大音希声”吗？且不说一支曲子中用了几个韵，听到停顿的地方，会觉得它散漫杂乱，即使我们把它摆在案头，当作文章读，也会觉得字句拗口，声韵不顺耳。如果有戏剧专家想让他的文字和声调相媲美，应该让“鱼”是“鱼”韵，“模”是“模”韵，两者不要混淆，这才妥当。即使不能够在整出戏中都分清楚，也可以在每支曲子中各用一韵。如果前面的曲子用的“鱼”韵，就用“鱼”韵到底，后面的曲子用的“模”韵，就用“模”韵到底。就像是一首诗用一个韵，后面的和前面的不同，这也是简便可行的办法。在我看来，推而广之，写诗用韵，也应该这样。另外，“元”字一韵，要分成三个韵。用“十三元”的，第一句用“元”韵，就用“元”韵到底，凡是“繁”、“孙”二韵的就不用，用“繁”、“孙”二韵时也是一样。用错韵是诗家大忌，没有因为用韵太严反而受到指责的。

廉监宜避

【原文】

"侵寻"、"监咸"、"廉纤"三韵，同属闭口之音，而"侵寻"一韵，较之"监咸"、"廉纤"，独觉稍异。每至收音处，"侵寻"闭口，而其音犹带清亮，至"监咸"、"廉纤"二韵，则微有不同。此二韵者，以作急板小曲则可，若填悠扬大套之词，则宜避之。《西厢》"不念《法华经》，不理《梁王忏》"一折用之者，以出惠明口中，声口恰相合耳。此二韵宜避者，不止单为声音，以其一韵之中，可用者不过数字，余皆险僻艰生，备而不用者也。若惠明曲中之"揝"字、"搀"字、"燂"字、"臜"字、"馅"字、"蘸"字、"飐"字，惟惠明可用，亦惟才大如天之王实甫能用，以第二人作《西厢》，即不敢用此险韵矣。初学填词者不知，每于一折开手处误用此韵，致累全篇无好句；又有作不终篇，弃去此韵而另作者，失计妨时。故用韵不可不择。

【译文】

"侵寻"、"监咸"、"廉纤"这三个韵，都属闭口音，不过"侵寻"一韵，和"监咸"、"廉纤"相比，稍有不同。每到收音的时候，"侵寻"韵闭口，然而声音却仍然有点清亮，至于"监咸"、"廉纤"二韵，就稍有不同。这两个韵，用来作急板小曲还可以，如果是填悠扬的大套曲词，就应该回避它们。《西厢记》中“不念《法华经》，不理《梁王忏》”一折中用了它们，是因为从惠明口中唱出，声口恰好相合罢了。这两个韵应该回避，不仅仅是为声音，因为它们一韵当中，可以使用的不过几个字，其余的字都是生僻艰涩很少用的。如惠明所唱的“揝”字、“搀”字、“燂”字、“臜”字、“馅”字、“蘸”字、“影”字，只有惠明可以唱，也只有才大如天的王实甫能用，让第二个人来写《西厢记》，就不敢用这险韵了。初学编戏的人不知道，经常在一折开始的地方误用此韵，致使全篇没有好句子；又有的人写不下去，不得不放弃这个韵而另写，选择错误浪费时间。所以用韵不能不事先好好选择。

拗句难好

【原文】

音律之难，不难于铿锵顺口之文，而难于倔强聱牙之句。铿锵顺口者，如此字声韵不合，随取一字换之，纵横顺逆，皆可成文，何难一时数曲？至于倔强聱牙之句，即不拘音律，任意挥写，尚难见才，况有清浊阴阳，及明用韵，暗用韵，又断断不宜用韵之成格，死死限在其中乎？

词名之最易填者，如《皂罗袍》、《醉扶归》、《解三醒》、《步步娇》、《园林好》、《江儿水》等曲，韵脚虽多，字句虽有长短，然读者顺口，作者自能随笔，即有一二句宜作拗体，亦如诗内之古风，无才者处此，亦能勉力见才。至如《小桃红》、《下山虎》等曲，则有最难下笔之句矣。《幽闺记·小桃红》之中段云："轻轻将袖儿掀，露春纤，盏儿拈，低娇面也。"每句只三字，末字叶韵，而每句之第二字，又断该用平，不可犯仄。此等处，似难而尚未尽难。其《下山虎》云："大人家体面，委实多般，有眼何曾见？懒能向前，弄盏传杯，恁般腼腆。这里新人忒杀虔，待推怎地展？主婚人，不见怜，配合夫妻，事非偶然。好恶姻缘总在天。"只须"懒能向前"、"待推怎地展"、"事非偶然"之三句，便能搅断词肠。"懒能向前"、"事非偶然"二句，每句四字，两平两仄，末字叶韵。"待推怎地展"一句五字，末字叶韵，五字之中，平居其一，仄居其四。此等拗句，如何措手？

南曲中此类极多，其难有十倍于此者，若逐个牌名援引，则不胜其繁，而观者厌矣。不引一二处定其难易，人又未必尽晓。兹只随拈旧诗一句，颠倒声韵以喻之。如"云淡风轻近午天"，此等句法，自然容易见好，若变为"风轻云淡近午天"，则虽有好句，不夺目矣。况"风轻云淡近午天"七字之中，未必言言合律，或是阴阳相左，或是平仄尚乖，必须再易数字，始能合拍。或改为"风轻云淡午近天"，或又改为"风轻午近云淡天"，此等句法，揆之音律则或谐矣，若以文理绳之，尚得名为词曲乎？海内观者，肯曰此句为音律所限，自难求工，姑为体贴人情之善念而恕之乎？曰：不能也。既曰不能，则作者将删去此句而不作乎？抑自创一格而畅我所欲言乎？曰:亦不能也。然则攻此道者,亦甚难矣!

变难成易，其道何居？曰：有一方便法门，词人或有行之者,未必尽有知之者。行之者偶然合拍,如路逢故人,出之不意,非我知其在路而往投之也。凡作倔强聱牙之句,不合自造新言,只当引用成语。成语在人口头,即稍更数字,略变声音，念来亦觉顺口。新造之句，一字聱牙，非止念不顺口,且令人不解其意。今亦随拈一二句试之。如“柴米油盐酱醋茶”,口头语也,试变为“油盐柴米酱醋茶”,或再变为“酱醋油盐柴米茶”,未有不明其义,不辨其声者。“东边日出西边雨,道是无情却有情”,口头语也,试将上句变为“日出东边西边雨”,下句变为“道是有情却无情”，亦未有不明其义，不辨其声者。若使新造之言而作此等拗句,则几与海外方言无别,必经

重译而后知之矣。即取前引《幽闺》之二句，定其工拙。“懒能向前”、“事非偶然”二句，皆拗体也。“懒能向前”一句，系作者新构，此句便觉生涩，读不顺口。“事非偶然”一句，系家常俗语，此句便觉自然，读之溜亮，岂非用成语易工、作新句难好之验乎？

予作传奇数十种，所谓“三折肱为良医”，此折肱语也。因觅知音，尽倾肝膈。孔子云：“益者三友：友直，友谅，友多闻。”多闻，吾不敢居，谨自呼为直谅。

【译文】

掌握音律的难处，不在那些铿锵顺口的文字上，而在诘屈聱牙的句子中。铿锵顺口的文字中，如果某个字不合声韵，随便拿一个字换上，横竖都成文章，同时写几支曲子有什么困难的？而诘屈聱牙的句子，即使不受音律的束缚，任意挥写，也难以写得好，何况还有清浊阴阳、明用韵、暗用韵，和绝不适合用韵的规定在严格限制着人呢？

最容易填的曲牌，如《皂罗袍》、《醉扶归》、《解三醒》、《步步娇》、《园林好》、《江儿水》等，韵脚虽多，字句虽然有长有短，然而读的人顺口，作者自然能够随意用笔，即使有一两句应该作拗体，也像诗中的古风一样，没有才华的人在这种情况下，也可以努力表现出才华来。至于如《小桃红》、《下山虎》等曲，就有很难下笔的句子了。《幽闺记·小桃红》的中段唱道：“轻轻将袖儿掀，露春纤，盏儿拈，低娇面也。”每句只有三个字，最后一句押韵，而每句的第二个字，又一定要用平声，不能用仄声。这种地方，看起来似乎很难，其实也并不太难。其中还有

《下山虎》唱道："大人家体面，委实多般，有眼何曾见？懒能向前，弄盏传杯，恁般腼腆。这里新人忒杀虔，待推怎地展？主婚人，不见怜，配合夫妻，事非偶然。好恶姻缘总在天。"仅仅"懒能向前"、"待推怎地展"、"事非偶然"这三句，便让戏曲作家伤透脑筋。"懒能向前"、"事非偶然"两句，每句四个字，两平两仄，最后一个字押韵。"待推怎地展"一句五个字，最后一个字押韵，五个字当中，有一个平声字，四个仄声字。像这么拗口的句子，叫人如何下手？

南曲中这种例子很多，有比这个还要难上十倍的，如果一个一个的曲牌举出来，就会举不胜举，看的人也会厌烦。但是如果不举一两个来判定难易，人们又不一定全知道。这里就随便举出一句旧诗，把声韵颠倒来说明一下。如"云淡风轻近午天"，这种句式自然容易看出它的好来，如果把它变成"风轻云淡近午天"，那么虽然是好句子，就不那么引人注目了。而且在"风轻云淡近午天"这七个字当中，不一定字字合乎音律，或者是阴阳相反，或者是平仄用错，必须再改几个字，才能合拍。或者改成"风轻云淡午近天"，或者又改为"风轻午近云淡天"，这种句法，从音律的角度衡量或许是协调了，如果用文理衡量，还能够把它们称为词曲吗？海内外的读者，谁会说因为这个句子被音律限制，自然难以完美，姑且发善心原谅他呢？不可能。既然不可能，那么作者是删去这句话不要呢，还是自己创造一种格式来畅所欲言呢？我说：也不可能。那么从事这项工作也太难了！

有什么办法可以把困难的变得容易呢？我说有一个方便的办法，词人也许有这么做了的，但是未必完全掌握了。做了的人是偶然合拍，就像在路上遇到故人，是意料之外的事，并不是我知道他在路上而前去碰他的。凡是写诘屈聱牙的句子，不应该自己创作新句，而要采用成语。成语常常挂在人们口头，即使稍微改动几个字，略变声音，念起来也觉得顺口。新造的句子，有一个字拗口，不仅念不顺口，而且让人不能理解它的含意。现在也随便拿一两句来试试。如“柴米油盐酱醋茶”是口头语，如果变成“油盐柴米酱醋茶”或者“酱醋油盐柴米茶”，没有人不明白它的意思，分辨不出它的读音。“东边日出西边雨，道是无情却有情”是口头语，试着将上句变成“日出东边西边雨”，下句变成“道是有情却无情”，也没有人不明白它的意思，分辨不出它的读音。如果让新造的句子如此拗口，那就几乎和海外方言一样，一定要经过翻译以后才能明白了。就拿前面所引的《幽闺记》中的两句来判定一下好坏。“懒能向前”、“事非偶然”，这两句都很拗口。“懒能向前”一句是作者新造的，这一句就让人觉得生涩，读不顺口。“事非偶然”一句是家常俗语，这一句就让人觉得自然，读起来流利响亮。这难道不是用成语容易写好，造新句难以写好的证明吗？

我写了几十种剧本，所谓“断三次臂成良医”，这是我的经验之谈。为了寻觅知音，所以把肺腑之言全都说了出来。孔子说：“有三种有用的朋友：正直的朋友、能够体谅人的朋友和见识广博的朋友。”见识广博我不敢说，但我自认是正直、会体谅人的人。

合韵易重

【原文】

句末一字之当叶者，名为韵脚。一曲之中，有几韵脚，前后各别，不可犯重，此理谁不知之？谁其犯之？所不尽知而易犯者，惟有“合前”数句。兹请先言“合前”之故。

同一牌名而为数曲者，止于首只列名其后，在南曲则曰“前腔”，在北曲则曰“么篇”，犹诗题之有其二、其三、其四也。末后数语，有前后各别者，有前后相同，不复另作，名为“合前”者。

此虽词人躲懒法，然付之优人，实有二便：初学之时，少读数句新词，省费几番记忆，一便也；登场之际，前曲各人分唱，“合前”之曲必通场合唱，既省精神，又不寂寞，二便也。

然“合前”之韵脚最易犯重。何也？大凡作首曲，则知查韵，用过之字不肯复用。迨做到第二、三曲，则止图省力，但做前词，不顾后语，置“合前”数句于度外，谓前曲已有，不必费心，而乌知此数句之韵脚，在前曲则语语各别，凑入此曲，焉知不有偶合者乎？

故作“前腔”之曲，而有“合前”之句者，必将末后数句之韵脚紧记在心，不可复用，作完之后，又必再查，始能不犯此病。此就韵脚而言也。

韵脚犯重，犹是小病，更有大于此者，则在词意与人不相合。何也？“合前”之曲即使同唱，则此数句之词意必有同情。如生、旦、净、丑四人在场，生、旦之意如是，净、丑之意亦如是，即可谓之同情，即可使之同唱。若生、旦如是，净、丑未尽如是，则两情不一，已无同唱之理。况有生、旦如是，净、丑必不如是，则岂有相反之曲而同唱者乎？此等关窍，若不经人道破，则填词之家既顾阴阳平仄，又调角徵宫商，心绪万端，岂能复筹及此？

予作是编，其于词学之精微，则万不得一，如此等粗浅之论，则可谓知无不言，言无不尽者矣。后来作者，当赐予一字，命曰“词奴”，以其为千古词人，尝效纪纲奔走之力也。

【译文】

句子最后一个字应该押韵，叫做韵脚。一支曲子当中，有几个韵脚，前后应当各不相同，不能重复，这个道理有谁不知？有谁会违犯呢？不容易掌握而容易违犯的，只有“合前”几个句子。请让我先说说“合前”。

用同一个曲牌名写几支曲子，只在第一支曲子前列出曲牌的名字，在南曲叫做“前腔”，在北曲则称“么篇”，就像诗题中有其二、其三、其四一样。最后的几句，有的和前面不同，也有和前面相同的，不再另外写，这就叫做“合前”。

这虽然是作者偷懒的办法，然而交给演员，却有两个方便之处：初学的时候，可以少读几句新词，省掉一些时间去记，这是其一；登场演出的时候，前面的曲子各人唱各人的，“合前”的曲子必须全场人合唱，既省精神，又显热闹，这是其二。

然而“合前”的韵脚最容易重复。为什么呢？一般填第一支曲子，都知道查找韵脚，用过的字不会再用。等填到第二、三支曲子时，就只图省力，光顾着写前面的词曲，不管后面的句子，把“合前”中的句子抛在脑后，认为前面的曲子中已经有了，用不着再费心思，却不知这几句的韵脚，在前面的曲子中句句都不一样，但凑到这支曲子中，谁知不会有偶然重复的呢？

所以在创作“前腔”曲子时，如果有“合前”的句子，一定要将最后几句的韵脚牢记在心，不能再用，写完之后，又一定要再查一遍，才能不犯这个毛病。这是就韵脚而言的。

韵脚重复，还是小毛病，还有比这更严重的，这就是词意和角色不合。为什么呢？“合前”的曲子既然是合唱，那么这几句的词意必定要有共同的情感。如果有生、旦、净、丑四个角色在场，生、旦的心情是这样，净、丑的心情也是这样，就可以说有共同的情感，就可以让他们合唱。如果生、旦的心情是这样，净、丑的心情不是这样，那么双方的感情不一样，就没有合唱的道理。更何况还有生、旦的心情是这样，净、丑的心情完全不同，难道有情感相反的曲子一起合唱的吗？这个诀窍，如果不被人说破，那么戏曲作家既要考虑阴阳平仄，又要协调音调，心绪万端，怎么能够再顾及到这点呢？

我写这篇文章，对于词曲的博大精深，万中不得其一，像这些粗浅的认识，只能说是知无不言，言无不尽了。后来的作者应当赐给我一个名字叫“词奴”，因为我在为后世词曲作者确立应遵守的规范奔忙啊！

慎用上声

【原文】

平、上、去、入四声，惟上声一音最别。用之词曲，较他音独低；用之宾白，又较他音独高。填词者每用此声，最宜斟酌。此声利于幽静之词，不利于发扬之曲；即幽静之词，亦宜偶用、间用，切忌一句之中连用二、三、四字。盖曲到上声字，不求低而自低，不低则此字唱不出口。如十数字高而忽有一字之低，亦觉抑扬有致；若重复数字皆低，则不特无音，且无曲矣。至于发扬之曲，每到吃紧关头，即当用阴字，而易以阳字尚不发调，况为上声之极细者乎？

予尝谓物有雌雄，字亦有雌雄。平、去、入三声以及阴字，乃字与声之雄飞者也；上声及阳字，乃字与声之雌伏者也。此理不明，难于制曲。初学填词者，每犯抑扬倒置之病。其故何居？正为上声之字入曲低，而入白反高耳。词人之能度曲者，世间颇少。其握管捻髭之际，大约口内吟哦，皆同说话，每逢此字，即作高声，且上声之字出口最亮，入耳极清，因其高而且清，清而且亮，自然得意疾书。孰知唱曲之道与此相反，念来高者，唱出反低。此文人妙曲利于案头，而不利于场上

之通病也。非笠翁为千古痴人，不分一毫人我，不留一点渣滓者，孰肯尽出家私底蕴，以博慷慨好义之虚名乎？

【译文】

平、上、去、入四声当中，只有上声这个音最特别。把它用在曲词中，要比其他的音都低；用在宾白中，又比其他的音都高。戏曲作者每当用上声时，最应当斟酌。上声适合于幽静的曲词，不适合于激昂的曲词；即使是幽静的曲词，也应该是偶尔一用、间隔着用，切忌在一句当中连用两个、三个甚至四个字。一般曲词唱到上声字，声调会自然而然地低下去，如果不低这个字就唱不出口。如果有十几个高音而忽然有一个低音，也会觉得抑扬顿挫；如果连着有几个低音，那就不仅没有声音，也没有音调了。至于激昂的曲词，每当要紧的时候，就应该用阴平字，换上阳平字尚且不能发声，何况是上声这种声音极细的字呢？

我曾说过，物有雌雄，字也有雌雄。平、去、入三声和阴平字，是字和声中的雄性；上声及阳平字，是字和声中的雌性。这个道理不明白，就难以编戏。初学编戏的人，经常犯阴阳颠倒的毛病，这是为什么呢？正是因为上声字在曲词中低，在宾白中反而高。戏曲作家会唱曲的，世上很少。当他拿起笔捻着胡子写作的时候，大概是口中吟诵，就像说话一样，每当碰到上声字，就作高声，而且上声字出口最响亮，听起来又最清晰，因为它的声音高而且清晰，又响亮，作者自然感到顺畅，奋笔疾书。谁知唱曲的原理与此正好相反，念起来高的字唱出来反而低，这就是文人写的妙曲，适合摆在案头阅读，而不适合在场上演出的通病。如果不是我这个千古痴人，一点也不分你我，毫无保留，又有谁会把家底全部拿出来，以博取这样一个慷慨好义的虚名呢？

少填入韵

【原文】

入声韵脚，宜于北而不宜于南。以韵脚一字之音，较他字更须明亮，北曲止有三声，有平、上、去而无入，用入声字作韵脚，与用他声无异也。南曲四声俱备，遇入声之字，定宜唱作入声，稍类三音，即同北调矣，以北音唱南曲可乎？予每以入韵作南词，随口念来，皆似北调，是以知之。若填北曲，则莫妙于此，一用入声，即是天然北调。然入声韵脚，最易见才，而又最难藏拙。工于入韵，即是词坛祭酒。以入韵之字，雅驯自然者少，粗俗倔强者多。填词老手，用惯此等字样，始能点铁成金。浅乎此者，运用不来，熔铸不出，非失之太生，则失之太鄙。

但以《西厢》、《琵琶》二剧较其短长。作《西厢》者，工于北调，用入韵是其所长。如《闹会》曲中"二月春雷响殿角"，"早成就了幽期密约"，"内性儿聪明，冠世才学。扭捏着身子，百般做作"。"角"字，"约"字，"学"字，"作"字，何等雅驯！何等自然！《琵琶》工于南曲，用入韵是其所短。如《描容》曲中"两处堪悲，万愁怎摸"，愁是何物，而可摸乎？入声韵脚宜北不宜南之论，盖为初学者设，久于此道而得三昧者，则左之右之，无不宜之矣。

【译文】

入声作韵脚，适宜用在北曲而不适宜用在南曲中。因为作为韵脚的这个字的音调，要比其他字更加明亮。北曲只有三声，有平声、上声、去声而没有入声，用入声字作韵脚，和用其他三声字没有区别。而南曲四声都有，碰到入声字，一定要唱作入声，稍微和其他三声相同，这就和北曲一样了，用北曲的音调来唱南曲行吗？每当我用入声字作韵脚创作南曲，随口念来，都像北曲，所以我知道这一点。如果作北曲，就没有比这更好的了，一用入声字作韵脚，就是天生的北曲。然而入声作韵脚，最容易显示才华，却又最难以掩饰不足。擅长用入声字做韵脚的人，就是词坛高手。因为入声字中，雅致自然的少，粗俗拗口

的多。填词的老手，用惯了这种字，才可以点铁成金。根底浅的作者，运用得不好，不是太生硬，就是太粗俗。

就用《西厢记》、《琵琶记》两部戏来比较一下。《西厢记》的作者，擅长北曲，用入声字作韵脚是他的长处。如《闹会》曲中“二月春雷响殿角”，“早成就了幽期密约”，“内性儿聪明，冠世才学。扭捏着身子，百般做作”。“角”字，“约”字，“学”字，“作”字，多么雅驯！多么自然！《琵琶记》的作者，擅长南曲，用入声字作韵脚是他的短处。如《描容》曲中“两处堪悲，万愁怎摸”，愁是什么东西，难道可以摸吗？入声字作韵脚适宜北曲不适宜南曲的观点，是对初学者来说，而对于精通此道的老手来说的，则可以左右逢源，没有什么适宜不适宜的了。

别解务头

【原文】

填词者必讲“务头”，然“务头”二字，千古难

明。《啸余谱》中载《务头》一卷，前后胪列，岂止万言？究竟“务头”二字，未经说明，不知何物。止于卷尾开列诸旧曲，以为体样，言某曲中第几句是务头，其间阴阳不可混用，去上、上去等字，不可混施。若迹此求之，则除却此句之外，其平仄、阴阳，皆可混用混施而不论矣。又云某句是务头，可施俊语于其上。若是，则一曲之中，止该用一俊语，其余字句皆可潦草涂鸦，而不必计其工拙矣。

予谓立言之人，与当权秉轴者无异。政令之出，关乎从违，断断可从，而后使民从之，稍背于此者，即在当违之列。凿凿能信，始可发令，措词又须言之极明，论之极畅，使人一目了然。今单提某句为务头，谓阴阳、平仄，断宜加严，俊语可施于上。此言未尝不是，其如举一废百，当从者寡，当违者众，是我欲加严，而天下之法律反从此而宽矣。况又嗫嚅其词，吞多吐少，何所取义而称为务头，绝无一字之诠释。然则“葫芦提”三字，何以服天下？吾恐狐疑者读之，愈重其狐疑，明了者观之，顿丧其明了，非立言之善策也。

予谓“务头”二字，既然不得其解，只当以不解解之。曲中有务头，犹棋中有眼，有此则活，无此则死。进不可战，退不可守者，无眼之棋，死棋也；看不动情，唱不发调者，无务头之曲，死曲也。一曲有一曲之务头，一句有一句之务头。字不聱牙，音不泛调，一曲中得此一句，即使全曲皆灵，

一句中得此一二字，即使全句皆健者，务头也。由此推之，则不特曲有务头，诗词歌赋以及举子业，无一不有务头矣。人亦照谱按格，发舒性灵，求为一代之传书而已矣。岂得为谜语欺人者所惑，而阻塞词源，使不得顺流而下乎？

【译文】

从事戏曲创作的人一定要讲“务头”，然而“务头”这两个字，千古以来就没弄明白过。《啸余谱》中有《务头》一卷，前后罗列，何止万字？但到底“务头”这两个字是什么意思，没有说明，还是不知道是什么。只在卷末列上各种旧曲作为例子，说某曲中第几句是务头，其中的阴调阳调不能混用，去上、上去等字不能混用。如果照它说的来看，那么除了这句以外，其他句子的平仄、阴阳，都可以混用而不管了。书中又说某句是务头，可以把漂亮的句子用在上面。如果是这样，那么一支曲子当中，就只能用一个漂亮句子，其余的字句都可以随便乱写，用不着考虑好坏了。

我认为著书立说的人和掌权的人没有什么不同。某项政令发出，关系到人们服从还是违背，确实能够遵守的，然后才让人民去遵守，有一点违背这条法令的，便在禁止之列。说话确凿能让人相信的，才可以发号施令，而且措辞必须极其明白，行文极其通畅，使人一目了然。现在只说某句是务头，指出阴阳、平仄必须从严，漂亮的字句可以用在上面。这些话也不是说不对，但它却是规定一项而废除其他，应当遵从的少，可以违背的多，这样本是想严格要求，但是天下的法律却反而从此宽松了。况且还含糊其辞，吞吞吐吐，对到底什么可以称为“务头”，没有一个字作解释。既然如此糊里糊涂的，怎么能让天下人信服？我怕不明白的人读了它更加不明白，明白的人读了它反而不明白了，这不是著书立说的好办法。

我认为“务头”这两个字，既然不能解释明白，就只好不去解释。曲中有务头，就像棋中有眼，有了它就能活，没有它就会死。进不能战、退不能守的是没有眼的棋，是死棋；看了不能动情、唱起来没有韵味的是没有务头的曲子，是死曲。一支曲子有一支曲子的务头，一个句子有一个句子的务头。字不拗口，音不走调，一曲中有这样一句，就使全曲都灵巧，一句中有这样一两个字，就使全句都饱满的，就是务头。由此推论，那么不但曲词有务头，诗词歌赋以及八股文，无一没有务头的了。人们都是照谱填词，抒发感情，只求能让一代人传诵而已。怎么能被骗人的话所迷惑，阻塞词源，使它不能顺流而出呢？

宾白第四

【原文】

自来作传奇者，止重填词，视宾白为末着，常有“白雪阳春”其调，而“巴人下里”其言者，予窃怪之。原其所以轻此之故，殆有说焉。

元以填词擅长，名人所作，北曲多而南曲少。北曲之介白者，每折不过数言，即抹去宾白而止阅填词，亦皆一气呵成，无有断续，似并此数言可略而不备者。由是观之，则初时止有填词，其介白之文，未必不系后来添设。在元人，则以当时所重不在于此，是以轻之。后来之人，又谓元人尚在不重，我辈工此何为？遂不觉日轻一日，而竟置此道于不讲也。

予则不然。尝谓曲之有白，就文字论之，则犹经文之于传注；就物理论之，则如栋梁之于榱桷；就人身论之，则如肢体之于血脉。非但不可相轻，且觉稍有不称，即因此贱彼，竟作无用观者。

故知宾白一道，当与曲文等视，有最得意之

曲文，即当有最得意之宾白，但使笔酣墨饱，其势自能相生。常有因得一句好白，而引起无限曲情；又有因填一首好词，而生出无穷话柄者。是文与文自相触发，我止乐观厥成，无所容其思议。此系作文恒情，不得幽渺其说，而作化境观也。

【译文】

自古以来的剧作家，只重视曲词，而把宾白当作最不重要的。戏曲中经常有曲词高雅动听，而对白却粗俗不堪的，我对此感到很奇怪。考究一下作者为什么轻视宾白，也是有说法的。

元代作家擅长曲词，名人的作品，北曲多而南曲少。北曲中的宾白，每折不过几句，即使去掉宾白只看曲词，也都是一气呵成，没有断续的痕迹，好像这几句宾白是可以去掉不用的。由此看来，开始的时候只有曲词，宾白的文字未必不是后来添上去的。在元代作者看来，因为当时看重的不是宾白，所以轻视它。后代的作者，又说元人尚且不看重它，我们在这上面下工夫干什么？于是不知不觉地一天比一天轻视，最后竟完全不讲究它了。

我却不这样认为。我曾经说过，戏曲中有宾白，从文字上来说，就像是经文和注释的关系；从物理方面来说，就像栋梁和椽子的关系；从人体来说，就像肢体和血脉的关系。不但不能轻视，而且稍有不合，就会由此影响到曲词，而全都没有用了。

所以说宾白和曲词同样重要，有最得意的曲词，就应当有最得意的宾白，只要笔墨酣畅，曲词和宾白就自然会相辅相成。经常因为有了一句好的对白，而引发出无限的情思；又因为填了一首好曲词，而生出无穷的话题。这是文字和文字相互触发，我只是乐观其成，用不着多费心思发表议论了。这是写文章的常情，不应该故弄玄虚，把它当成神乎其神的神秘境界看待。

声务铿锵

【原文】

宾白之学，首务铿锵。一句聱牙，俾听者耳中生棘；数言清亮，使观者倦处生神。世人但以音韵二字用之曲中，不知宾白之文，更宜调声协律。世人但知四六之句平间仄，仄间平，非可混施迭用，不知散体之文亦复如是。“平仄仄平平仄仄，仄平平仄仄平平”二语，乃千古作文之通诀，无一语一字可废声音者也。如上句末一字用平，则下句末一字定宜用仄，连用二平，则声带喑哑，不能耸听。下句末一字用仄，则接此一句之上句，其末一字定宜用平，连用二仄，则音类咆哮，不能悦耳。此言通篇之大较，非逐句逐字皆然也。能以作四六平仄之法，用于宾白之中，则字字铿锵，人人乐听，有“金声掷地”之评矣。

声务铿锵之法，不出平仄、仄平二语是已。然有时连用数平，或连用数仄，明知声欠铿锵，而限于情事，欲改平为仄，改仄为平，而决无平声、仄声之字可代者。此则千古词人未穷其秘，予以探骊觅珠之苦，入万丈深潭者，既久而后得之，以告

同心。虽示无私，然未免可惜。

字有四声，平、上、去、入是也。平居其一，仄居其三，是上、去、入三声皆丽于仄。而不知上之为声，虽与去、入无异，而实可介于平、仄之间，以其别有一种声音，较之于平则略高，比之去、入则又略低。古人造字审音，使居平、仄之介，明明是一过文，由平至仄，从此始也。譬如四方声音，到处各别，吴有吴音，越有越语，相去不啻天渊，而一至接壤之处，则吴、越之音相伴，吴人听之觉其同，越人听之亦不觉其异。晋、楚、燕、秦以至黔、蜀，在在皆然，此即声音之过文，犹上声介于平、去、入之间也。

作宾白者，欲求声韵铿锵，而限于情事，求一可代之字而不得者，即当用此法以济其穷。如两句三句皆平，或两句三句皆仄，求一可代之字而不得，即用一上声之字介乎其间，以之代平可，以之代去、入亦可。如两句三句皆平，间一上声之字，则其声是仄，不必言矣。即两句三句皆去声、入声，而间一上声之字，则其字明明是仄而却似平，令人听之不知其为连用数仄者。此理可解而不可解，此法可传而实不当传，一传之后，则遍地金声，求一瓦缶之鸣而不可得矣。

【译文】

宾白的要领，首先在于铿锵有力。有一句拗口，就会让听众耳朵里长刺；有几句清亮，就会让观众在疲倦的时候精神一振。世人只知道把音韵用在曲中，却不知道宾白中的文字，更应该音律协调。世人只知道四六句的骈文要平声间仄声，仄声间平声，不能够随便乱用，却不知道散体的文章也是这样。“平仄仄平平仄仄，仄平平仄仄平平”这两句话，是千古以来写文章通用的诀窍，没有一个字、一句话可以不讲究声律的。如果上句末尾那个字用平声，那么下句末尾那个字一定要用仄声，连用两个平声，声音就会喑哑，听不清楚；如果下句末尾那个字用仄声，那么这句的上一句的末尾的那个字应当用平声，连用两个仄声，听起来声音就像咆哮，很不悦耳。这是说整篇的大概情况，并不是逐字逐句都是这样。如果能把写四六骈文时用的平仄规则用在戏曲的宾白之中，就会字字铿锵有力，人人爱听，就会受到“金石掷地有声”的好评了。

要做到声音铿锵有力，其方法不出平仄、仄平这两个规则。然而有时连着用几个平声字，或者连用几个仄声字，明明知道声音不够铿锵有力，但是限于情势，想把平声字改为仄声字，把仄声字改为平声字，却没有合适的平声字、仄声字可以代替。自古以来的作者都没有发现其中的秘密，我忍受了无限的劳累辛苦，花了很长的时间，终于得到了这个奥秘，我把它告诉同道，虽然能显示出我的无私，然而还是觉得有点可惜。

字有四声，就是平声、上声、去声、入声。平声字只占其中一个，仄声字占其中三个，即上声、去声、入声都属于仄声字。但是人们却不知道上声字虽然和去声字、入声字都属于仄声字，实际上却是介于平声字和仄声字之间，因为它有一种不同的声调，比平声稍高，比去声、入声又稍低。古人造字定音，让它处于平声和仄声之间，明明是一个过渡的音调，声调从平声到仄声，就是从上声开始的。比如各地的声音各不相同，江苏有江苏的方言，浙江有浙江的方言，它们之间有天壤之别，但是一到两地接壤的地区，那么两地的方言就混杂在一起，江苏人听了觉得和自己的方言相同，浙江人听了也不觉得和自己的方言有什么不同。山西、湖北、河北、陕西以至贵州、四川，到处都是一样。这就是声音的过渡，就像上声介于平声、去声和入声之间一样。

写宾白时，想要声调铿锵有力，却又限于情势，找不到一个可以代替的字，就应当用这种办法来弥补不足。如果两句三句都是用的平声字，或者两句三句都是用的仄声字，找不到一个可以代替的字，就可以找一个上声字用在其中，用它代替平声可以，代替去声、入声也可以。如果两三句都是平声字，插入一个上声字，那么它属于仄声字，这就不用说了。假使两三句都是去声、入声字，插入一个上声字，那么它明明

是仄声字却又像平声字，让人听了也不觉得连用了几个仄声字。这道理可以理解却又不好理解，这个方法可以流传，实际上又不应该流传，一旦流传，那么就会到处都是铿锵悦耳的声音，一点难听的瓦缶之声也听不到了。

语求肖似

【原文】

文字之最豪宕，最风雅，作之最健人脾胃者，莫过填词一种。若无此种，几于闷杀才人，困死豪杰。予生忧患之中，处落魄之境，自幼至长，自长至老，总无一刻舒眉，惟于制曲填词之顷，非但郁藉以舒，愠为之解，且尝僭作两间最乐之人，觉富贵荣华，其受用不过如此，未有真境之为所欲为，能出幻境纵横之上者：我欲做官，则顷刻之间便臻荣贵；我欲致仕，则转盼之际又入山林；我欲作人间才子，即为杜甫、李白之后身；我欲娶绝代佳人，即作王嫱、西施之原配；我欲成仙作佛，则西天蓬岛即在砚池笔架之前；我欲尽孝输忠，则君治亲年，可跻尧、舜、彭篯之上。非若他种文字，欲作寓言，必须远引曲譬，蕴藉包含，十分牢骚，还须留住六七分；八斗才学，止可使出二三升。稍欠和平，略施纵送，即谓失风人之旨，犯佻达之嫌，求为家弦户诵者难矣。

填词一家，则惟恐其蓄而不言，言之不尽。是则是矣，须知畅所欲言亦非易事。言者，心之声也，欲代此一人立言，先宜代此一人立心，若非梦往神游，何谓设身处地？无论立心端正者，我当设身处地，代生端正之想；即遇立心邪辟者，我亦当舍经从权，暂为邪辟之思。务使心曲隐微，随口唾出，说一人，肖一人，勿使雷同，弗使浮泛，若《水浒传》之叙事，吴道子之写生，斯称此道中之绝技。果能若此，即欲不传，其可得乎？

【译文】

文学创作当中最豪放、最风雅、最合乎人性情的，莫过于曲词创作了。如果没有它，简直就会闷死才子、困死豪杰。我生于忧患之中，处于落魄的境地，从小到大，从大到老，没有一刻舒展过眉头，只有在曲词创作的时候，不但忧郁可以消除，烦恼可以化解，而且常常把自己当作天地间最快乐的人，觉得享受富贵荣华也不过如此。在现实生活中再为所欲为，也比不上在戏曲创作的幻境中纵横驰骋：我想做官，顷刻之间就享受了高官厚禄；我想退隐，转眼之间又到了山林；我想做人间才子，便马上成了李白、杜甫的后身；我想娶绝代佳人，马上就成了王昭君、西施的原配丈夫；我想成仙做佛，西天的蓬莱仙岛就呈现在我的砚池笔架之前；我要尽忠尽孝，那么君主的治绩可比尧舜，亲人的寿岁可比彭祖。不像别的文字，想要表达一种思想，必须远引古事、隐喻类比，写得含蓄包容。有十分的牢骚，必须留住六七分；有八斗的才学，只能使出二三升。稍稍欠一点平和，略微有点放纵，就会被说成有失诗教的宗旨，犯了轻薄的罪过，要想成为家喻户晓的作品就难了。

对于曲词创作者来说，却是唯恐他有话不说，说得不彻底。话虽是这样说，但要知道畅所欲言也并不是一件容易的事。语言是内心发出的声音，想要替一个人立言，先要替这个人立心，如果不能和他梦游神交，又怎么说得上设身处地？不仅是立心端正的人，我应当设身处地，替他产生端正的想法，即使是心术不正的人，我也应当权且放弃正统的观念，暂时产生邪恶的思想。一定要让人物内心隐秘的思想感情随口说出，写一个人，像一个人，不让人物雷同、性格贫乏，像《水浒传》叙事、吴道子写生一样，这才称得上戏曲中的绝技。如果真的能够这样，即使不想流传后世，能做得到吗？

词别繁减

【原文】

传奇中宾白之繁，实自予始。海内知我者与罪我者半。知我者曰：从来宾白作说话观，随口出之即是，笠翁宾白当文章做，字字俱费推敲。从来宾白只要纸上分明，不顾口中顺逆，常有观刻本极其透彻，奏之场上便觉糊涂者。岂一人之耳目，有聪明聋聩之分乎？因作者只顾挥毫，并未设身处地，既以口代优人，复以耳当听者，心口相维，询其好说不好说，中听不中听，此其所以判然之故也。笠翁手则握笔，口却登场，全以身代梨园，复以神魂四绕，考其关目，试其声音，好则直书，否则搁笔，此其所以观听咸宜也。

罪我者曰：填词既曰“填词”，即当以词为主；宾白既名“宾白”，明言白乃其宾，奈何反主作客，而犯树大于根之弊乎？笠翁曰：始作俑者，实实为予，责之诚是也。但其敢于若是，与其不得不若是者，则均有说焉。

请先白其不得不若是者。前人宾白之少，非有一定当少之成格。盖彼只以填词自任，留余地以待优人，谓引商刻羽我为政，饰听美观彼为政，我以约略数言，示之以意，彼自能增益成文。如今世之演《琵琶》、《西厢》、《荆》、《刘》、《拜》、《杀》等曲，曲则仍之，其间宾白、科诨等事，有几处合于原本，以寥寥数言塞责者乎？且作新与演旧有别，《琵琶》、《西厢》、《荆》、《刘》、《拜》、《杀》等曲，家弦户诵已久，童叟男妇皆能备悉情由，即使一句宾白不道，止唱曲文，观者亦能默会，是其宾白繁减可不问也。至于新演一剧，其间情事，观者茫然；词曲一道，止能传声，不能传情，欲观者悉其颠末，洞其幽微，单靠宾白一着。予非不图省力，亦留余地以待优人。但优人之中，智愚不等，能保其增益成文者悉如作者之意，毫无赘疣蛇足于其间乎？与其留余地以待增，不若留余地以待减，减之不当，犹存作者深心之半，犹病不服药之得中医也。此予不得不若是之故也。

至其敢于若是者，则谓千古文章，总无定格，有创始之人，即有守成不变之人，有守成不变之人，即有大仍其意，小变其形，自成一家而不顾天下非笑之人。

古来文字之正变为奇、奇翻为正者，不知凡几，吾不具论，止以多寡增益之数论之。《左传》、《国语》，纪事之书也，每一事不过数行，每一语不过数字，初时未病其少；迨班固之作《汉书》，司马迁之为《史记》，亦纪事之书也，遂益数行为数十百行，数字为数十百字，岂有病其过多，而废《史记》、《汉书》于不读者乎？此言少之可变为多也。

诗之为道，当日但有古风，古风之体，多则数十百句，少亦十数句，初时亦未病其多；迨近体一出，则约数十百句为八句，绝句一出，又敛八句为四句，岂有病其渐少，而选诗之家止载古风，删近体绝句于不录者乎？此言多之可变为少也。

总之，文字短长，视其人之笔性。笔性遒劲者，不能强之使长；笔性纵肆者，不能缩之使短。文患不能长，又患其可以不长而必欲使之长。如其能长，而又使人不可删逸，则虽为宾白中之古风《史》《汉》，亦何患哉？予则乌能当此，但为糠秕之导，以俟后来居上之人。

予之宾白，虽有微长，然初作之时，竿头未进，常有当俭不俭，因留余幅以俟剪裁，遂不觉流为散漫者。自今观之，皆吴下阿蒙手笔也。如其天假以年，得于所传十种之外，别有新词，则能保为犬夜鸡晨，鸣乎其所当鸣，默乎其所不得不默者矣。

【译文】

戏曲中宾白增多，实际上是从我开始的。天下人因此而理解我和怪罪我的人各占一半。理解我的人说：宾白从来就被看作是说话，随口而出就是，李笠翁把宾白当文章来做，字字都费推敲。宾白从来都只要求纸上写清楚，而不顾念出来是不是顺口。经常有剧本写得十分透彻，而在台上演出却让人觉得一塌糊涂。难道一个人的耳目有聪明聋聩之分吗？这是因为作者只顾在纸上写，并没有设身处地，既替演员唱，又代观众听，没有考虑到自己心中所想和演员口中所唱是联系在一起的，也没有问它好不好唱，好不好听，这就是看起来和听起来截然不同的原因。李笠翁却是手在写，口在唱，完全把自己当成戏班演员，又全神贯注，考虑情节，试验声音，好就直接写出来，否则就不写，因此看起来和听起来都会好。

怪罪我的人说：填词既然称作“填词”，就应该以曲词为主；宾白既然称作“宾白”，就已经很清楚地说明了“白”是陪客，为什么却反客为主，犯了树比根大的毛病呢？我说：最开始这样做的，确实是我，指责得很对。但是我敢于这样做，又不得不这样做，那都是有原因的。

请让我先说不得不这样做的原因。前人宾白少，并不是有一定要少的规矩，大概他们只是把填词当成自己的事，留出余地给演员，说按谱填词是我的事，登台演唱是他们的事，我用几句话提示，他们自然能补充完整。例如现在所演出的《琵琶记》、《西厢记》、《荆钗记》、《刘知远》、《拜月亭》、《杀狗记》等曲目，曲词仍然是老的，但是其中的宾白、插科打诨等，有几个地方合乎原本呢？能用几句简单的言辞搪塞过去吗？而且创作新剧与演旧剧不同，《琵琶记》、《西厢记》、《荆钗记》、《刘知远》、《拜月亭》、《杀狗记》等戏，家家户户传诵已久，男女老幼都很熟悉情节人物，即使不说一句宾白，只唱曲词，观众也能领会，所以宾白多少无所谓。至于新上演的戏，其中的情节人物，观众全不知道，而曲文只能传达声音，不能表达感情。想让观众明白始终、了解细节，就只能靠宾白了。我并不是不想省力，同时也给演员留有余地，只是演员中有聪明的，也有愚蠢的，能保证他们按作者的原意补充完整、不会有画蛇添足之类事情发生吗？与其留余地让他们来增补，不如留余地让他们来删减。删减得不合适，还能保留作者一半的原意，就像得了病不吃药比乱吃药好。这是我不得不这样做的原因。

至于我敢于这样做的原因，是我认为千古文章没有一定的格式，既有创始的人，就有守成不变的人，既有守成不变的人，就有大的地方保留原样，小作改变，自成一家而不顾天下人非议和讥笑的人。

自古以来的文章，翻来覆去，不知道变了多少次，其他我都不谈，只谈论字数的多少增减。《左传》、《国语》是记事的书，每件事不过几行，每句话不过几个字，当时并没有人嫌它少；等到班固写《汉书》、司马迁写《史记》，也是记事的书，便把几行增加为几十几百行，把几个字增加为几十几百个字，难道会有嫌它太多，而不读《史记》、《汉书》的人吗？这里说的是字数少可以变多的情况。

诗这种文学形式，当初只有古风。古风的体裁，多的有几十上百句，少的也有十几句，开始也没有人嫌它多；等近体诗一出现，就把几十上百句减少为八句；绝句一出现，又把八句减少为四句。难道会因为嫌它越来越少，选诗的人就只选古风，而不收近体、绝句的吗？这是说字数多可以变少的情形。

总之，文字的长短，要看作者的笔性，笔性刚劲有力的人，不要勉强他写得长；笔性放纵恣肆的人，不要勉强他写得短。文章怕写不长，又怕可以不长而一定要把它写长。如果能写得长，又让人不能够删减，那么即使宾白中有长得如古风《史记》、《汉书》一样的，又有什么可担忧的呢？我不能担此重任，只不过充当扬弃无用的先导，以待后来居上的人。

我写的宾白，虽然稍长，但开始创作的时候，经验不足，经常有该短的不短，以便留下余地让人删减，这样就不免显得散漫。现在看起来，那都是些不成熟的文字。如果老天爷让我多活一些时间，让我在我的十种剧作之外，再创作一些新剧，则能保证像守夜的狗和报晓的鸡一样，该鸣的时候鸣，该沉默的时候沉默了。

字分南北

【原文】

北曲有北音之字，南曲有南音之字，如南音自呼为“我”，呼人为“你”，北音呼人为“您”，自呼为“俺”、为“咱”之类是也。世人但知曲内宜分，乌知白随曲转，不应两截。此一折之曲为南，则此一折之白悉用南音之字；此一折之曲为北，则此一折之白悉用北音之字。时人传奇多有混用者，即能间施于净、丑，不知加严于生、旦；止能分用于男子，不知区别于妇人。以北字近于粗豪，易入刚劲之口，南音悉多娇媚，便施窈窕之人。殊不知声音驳杂，俗语呼为“两头蛮”，说话且然，况登场演剧乎？此论为全套南曲、全套北曲者言之。南北相间，如《新水令》、《步步娇》之类，则在所不拘。

【译文】

北曲有北方语音的字，南曲有南方语音的字。如南方语音称自己为“我”，称别人为“你”，北方语音称别人为“您”，称自己为“俺”、“咱”之类的就是。世人只知道在唱词内应该区分，却不知宾白随着曲词转，不应当断开。这一折戏的曲词是南方语音，那么这一折的宾白都用南方语音的字；这一折戏的曲词是北方语音，那么这一折的宾白都用北方语音的字。现在的戏曲作品，多有混用的情况，即使间或能在净、丑中使用，却不知道在生、旦中应该严格区别；只知道在男子的口音中加以区分，却不知道在女子口中也应该严格区别。因为北方语音比较粗犷豪迈，适合刚劲的人说，南方语音大多娇媚，便于窈窕的人说。殊不知语音混杂在一起，俗话称作“两头蛮”，说话尚且这样，何况登台演出呢？这是针对全套南曲和全套北曲而言的。如果南曲北曲相间，像《新水令》、《步步娇》之类的，就不受限制。

文贵洁净

【原文】

白不厌多之说，前论极详，而此复言洁净。洁净者，简省之别名也。洁则忌多，减始能净，二说不无相悖乎？曰：不然。多而不觉其多者，多即是洁；少而尚病其多者，少亦近芜。予所谓多，谓不可删逸之多，非唱沙作米、强凫变鹤之多也。

作宾白者，意则期多，字惟求少，爱虽难割，嗜亦宜专。每作一段，即自删一段，万不可删者始存，稍有可削者即去。此言逐出初填之际，全稿未脱之先，所谓慎之于始也。然我辈作文，常有人以为非，而自认作是者；又有初信为是，而后悔其非者。文章出自己手，无一非佳，诗赋论其初成，无语不妙，迨易日经时之后，取而观之，则妍媸好丑之间，非特人能辨别，我亦自解雌黄矣。

此论虽说填词，实各种诗文之通病，古今才士之恒情也。

凡作传奇，当于开笔之初，以至脱稿之后，隔日一删，逾月一改，始能淘沙得金，无瑕瑜互见之失矣。

此说予能言之、不能行之者，则人与我中分其咎。予终岁饥驱，杜门日少，每有所作，率多草草成篇，章名急就，非不欲删，非不欲改，无可删可改之时也。每成一剧，才落毫端，即为坊人攫去，下半犹未脱稿，上半业已灾梨，非止灾梨，彼伶工之捷足者，又复灾其肺肠，灾其唇舌，遂使一成不改，终为痼疾难医。予非不务洁净，天实使之，谓之何哉！

【译文】

宾白不怕多的观点，前面已经说得很详细了，而现在再说一下洁净。“洁净”，是简省的别名。洁就忌讳多，减了才能净，这和前面的说法不是矛盾的吗？我说不是。文字虽然多却不让人觉得多，这样的多就是洁；文字虽然少却仍然嫌多，这种少也还是芜杂。我所说的多，是指不能删减的多，不是把沙子当作米，把鸭子当作仙鹤的那种多。

创作宾白，表达的意思要尽量多，字要尽量少，虽然难以割爱，但嗜好应该专一。每写好一段，就应当自己删改一段，万万不能删掉的才保存下来，只要稍有可删的都把它删掉。这说的是在每出戏刚开始写、全稿还没有完成的时候，就是所谓的凡事开始的时候就要慎重。然而我们创作时，经常有别人认为不对而自己认为对的情况，还有开始的时候以为对，后来又后悔觉得不对的情况。文章出自自己的手，没有一句不好，诗赋刚完成的时候，没有一个字不妙，等到经过一些日子之后，再拿出来看，那么它们的好坏美丑，不仅别人能够辨别，而我自己也能够分清了。这里虽然说的是填词，实际上是各种诗文的通病，古往今来才子的常情。

凡是创作戏曲，应当从刚动笔的时候一直到脱稿之后，隔一天删一次，过一个月改一次，才能够淘去沙粒，得到金子，没有好坏并存的毛病了。

这种主张我能说到，却做不到，这个责任大家应该和我一起分担。我成年为填饱肚子四处奔走，关门在家创作的日子很少。每当有所创作，大都是急急忙忙写就的，不是不想删改，而是没有删改的时间。每写成一个剧本，才放下笔，就被刻书的人抢走了。下半部分还没有脱稿，上半部分已经拿到戏院去了，不仅到了戏院，那些腿快的演员就已经开始排练试演了，以至于一个字也不能改，终于成为难以医治的顽疾了。我并不是不讲求洁净，而是老天这样安排，又有什么办法呢！

意取尖新

【原文】

"纤巧"二字，行文之大忌也，处处皆然，而独不戒于传奇一种。传奇之为道也，愈纤愈密，愈巧愈精。词人忌在老实，"老实"二字，即"纤巧"之仇家敌国也。然"纤巧"二字，为文人鄙贱

已久，言之似不中听，易以"尖新"二字，则似变瑕成瑜。其实"尖新"即是"纤巧"，犹之暮四朝三，未尝稍异。同一话也，以尖新出之，则令人眉扬目展，有如闻所未闻；以老实出之，则令人意懒心灰，有如听所不必听。白有尖新之文，文有尖新之句，句有尖新之字，则列之案头，不观则已，观则欲罢不能；奏之场上，不听则已，听则求归不得。尤物足以移人，"尖新"二字，即文中之尤物也。

【译文】

"纤巧"这两个字，是写文章最忌讳的，各种文体都是这样，但是只有传奇作品不忌讳它。对于传奇作品来说，越是纤巧便越是缜密，越是纤巧便越是精细。戏曲作者所忌讳的是老实，"老实"这两个字便是"纤巧"的冤家对头。然而"纤巧"二字，一直被文人看不起，说起来似乎很不中听，变成"尖新"二字，就似乎变瑕为瑜了。其实"尖新"就是

“纤巧”，就像把“朝三暮四”变成“暮四朝三”一样，并没有丝毫不同。同是一句话，用尖新的语言写出来，会令人扬眉展目，像从来没有见过；用老老实实的语言写出来，就会让人心灰意懒，觉得可听可不听。假使宾白有尖新的段落，段落中有尖新的句子，句子中有尖新的字眼，那么把这样的作品摆在案头，不看则已，一看就会使人欲罢不能；放在舞台上演出，不听则已，一听就会使人舍不得离开。尤物能够改变人的性情，“尖新”二字，就是文学中的尤物。

少用方言

【原文】

填词中方言之多，莫过于《西厢》一种，其余今词古曲，在在有之。非至词曲，即《四书》之中，《孟子》一书亦有方言，天下不知而予独知之，予读《孟子》五十余年不知，而今知之，请先毕其说。

儿时读“自反而缩，虽褐宽博，吾不惴焉”，观朱注云：“褐，贱者之服；宽博，宽大之衣。”心甚惑之。因生南方，南方衣褐者寡，间有服者，强半富贵之家，名虽褐而实则绒也。因讯蒙师，谓褐乃贵人之衣，胡云贱者之服？既云贱衣，则当从约，短一尺，省一尺购办之资；少一寸，免一寸缝纫之力，胡不窄小其制而反宽大其形，是何以故？师默然不答，再询，则顾左右而言他。具此狐疑，数十年未解。及近游秦塞，见其土著之民，人人衣褐，无论丝罗罕觏，即见一二衣布者，亦类空谷足音。因地寒不毛，止以牧养自活，织牛羊之毛以为衣，又皆粗而不密，其形似毯，诚哉其为贱者之服，非若南方贵人之衣也！又见其宽则倍身，长复扫地。即而讯之，则曰："此衣之外，不复有他，衫裳襦裤，总以一物代之，日则披之当服，夜则拥以为衾，非宽不能周遭其身，非长不能尽覆其足。《鲁论》：'必有寝衣，长一身有半'，即是类也。"予始幡然大悟曰："太史公著书，必游名山大川，其斯之谓欤！"

盖古来圣贤多生西北，所见皆然，故方言随口而出。朱文公南人也，彼乌知之？故但释字义，不求甚解，使千古疑团，至今未破，非予远游绝塞，亲觏其人，乌知斯言之不谬哉？由是观之，《四书》之文犹不可尽法，况《西厢》之为词曲乎？

凡作传奇，不宜频用方言，令人不解。近日填词家，见花面登场，悉作姑苏口吻，遂以此为成律，每作净、丑之白，即用方言，不知此等声音，止能通于吴越，过此以往，则听者茫然。传奇天下之书，岂仅为吴越而设？至于他处方言，虽云入曲者少，亦视填词者所生之地。如汤若士生于江右，即当规避江右之方言；粲花主人吴石渠生于阳羡，即当规避阳羡之方言。盖生此一方，未免为一方所囿。有明是方言，而我不知其为方言，及入他境，对人言之而人不解，始知其为方言者，诸如此类，易地皆然。欲作传奇，不可不存桑弧蓬矢之志。

【译文】

戏曲作品中方言最多的，莫过于《西厢记》这部作品。除此之外，从古到今的戏曲作品，使用方言的也比比皆是。不仅仅是戏曲，即使是《四书》中的《孟子》一书，也有方言。天下的人都不知道，只有我知道。我读《孟子》五十多年没有发现，现在却知道了，请让我先把这个说完。

我小时候读《孟子》中的“自反而缩，虽褐宽博，吾不惴焉”这句话，看朱熹的注释说“褐，是贫贱者的衣服；宽博，就是宽大的衣服”。我很疑惑。因为我生在南方，而南方穿褐衣的人很少，偶尔有穿的人，也多半是富贵人家，名字叫做“褐”而实际上是绒衣。于是我去问启蒙老师，说“褐”明明是富贵之人穿的衣服，为什么说是“贫贱者的衣服”呢？既然说是贫贱之人的衣服，便应当节俭一点，短一尺便可以省下买一尺布的钱，少一寸便可以免去多缝纫一寸的力，为什么不把它做得窄小一点，反而做得又宽又大，这是为什么呢？老师沉默着不回答，再问，老师便环顾左右而言他了。我怀着这个疑问，几十年来一直没有解开。直至最近到陕西边塞一游，见到当地的居民人人穿的都是“褐衣”，不仅是绫罗绸缎很少看到，即使是穿布衣的，也只看到一两个人，像空谷足音一样稀少。因为当地天气寒冷，土地不长庄稼，只能靠放牧来维持生活，用牛羊的毛织成衣服，都比较粗糙而不细密，形状像毯子，它确实是贫贱者的衣服，而不像南方富贵人穿的那种衣服！我又看到这种衣服比人的身体宽一倍，长得拖到地下。走过去问他们，他们便告诉我：“除了这件衣服之外，再也没有其他的衣服，外衣内衣长裤短裤，全是这么一件东西代替，白天把它当衣服穿，夜晚把它当被子盖，不宽不能裹住全身，不长不能盖住双脚。《论语》说：‘必有寝衣，长一身有半。’就是说的这种衣服。”我这才幡然大悟，说：“太史公写书，一定要游遍名山大川，大概就是这个意思吧！”

大概古代圣贤大多生活在西北，所看到的都是这样，所以方言随口而出。朱熹是南方人，他又怎会知道北方方言，所以只解释字面上的含义，不求甚解，使得这个千古疑团至今没有解开。如果不是我远游塞外，亲眼看到穿这种衣服的人，又怎么会知道这句话没错呢？由此看来，即使是《四书》里的文字，尚且不能完全仿效，何况《西厢记》这种戏曲里的文字呢？

凡是创作传奇故事，不应当频繁使用方言，让人难以理解。近代的戏曲作家，只要是花面登场，便都让他说姑苏口音，这样便成了固定的规则。一写净、丑的道白，便使用方言，不知道这种语言，只在吴越一带通行，离开这个地方，别人就听不懂。而传奇故事是要流传天下的，又岂是只为吴越人而创作的吗？至于其他地方的方言，虽说很少在戏曲中使用，但也要看作者生活的地方。比如汤显祖生在江西，就应当避免使用江西方言。粲花主人吴石渠生于阳羡，就应当避免使用阳羡方言。因为生长在这个地方，难免会被这个地方所限制。有的话明明是方言，但作者却不知道它是方言，等到了其他地方，对别人说这句话而别人听不懂，才知道它是方言。诸如此类的情况，到处都是。所以想要创作传奇作品，不能没有志在四方的远大抱负。

时防漏孔

【原文】

一部传奇之宾白，自始至终，奚啻千言万语。

多言多失，保无前是后非、有呼不应、自相矛盾之病乎？如《玉簪记》之陈妙常，道姑也，非尼僧也，其白云“姑娘在禅堂打坐”，其曲云“从今孽债染缁衣”，“禅堂”、“缁衣”皆尼僧字面，而用入道家，有是理乎？诸如此类者，不能枚举。总之，文字短少者易为检点，长大者难于照顾。吾于古今文字中，取其最长最大，而寻不出纤毫渗漏者，惟《水浒传》一书。设以他人为此，几同笊篱贮水，珠箔遮风，出者多而进者少，岂止三十六个漏孔而已哉！

【译文】

一部戏曲作品中的宾白，从头到尾，岂止千言万语。话越多则失误可能越多，谁能保证没有前对后错、前后不照应、自相矛盾的毛病呢？比如《玉簪记》里的陈妙常本是一个道姑而不是尼姑，剧中有一句道白是：“姑娘在禅堂打坐。”有一句唱词说：“从今孽债染缁衣。”“禅堂”、“缁衣”都是用于尼姑、和尚的字眼，却用在道姑身上，有这样的道理吗？诸如此类的失误，不胜枚举。总之，文章篇幅短小的，很容易写得严谨周密，而篇幅长大的，便难以照顾周全了。我认为古往今来所有的文学作品中，篇幅很长很大，却找不出丝毫漏洞的，只有《水浒传》这一本书。假设是其他人创作这部作品，都会像用笊篱贮水、用珠箔遮风一样，出的多而进的少，岂止三十六个漏洞呢！

科诨第五

【原文】

插科打诨，填词之末技也，然欲雅俗同欢，智愚共赏，则当全在此处留神。文字佳，情节佳，而科诨不佳，非特俗人怕看，即雅人韵士，亦有瞌睡之时。作传奇者，全要善驱睡魔，睡魔一至，则后乎此者，虽有《钧天》之乐，《霓裳羽衣》之舞，皆付之不见不闻，如对泥人作揖，土佛谈经矣。予尝以此告优人，谓戏文好处，全在下半本。只消三两个瞌睡，便隔断一部神情，瞌睡醒时，上文下文已不接续，即使抖起精神再看，只好断章取义，作零出观。若是，则科诨非科诨，乃看戏之人参汤也。养精益神，使人不倦，全在于此，可作小道观乎？

【译文】

插科打诨，是戏曲创作中下等的技巧，然而要想雅俗共赏，聪明的人和愚蠢的人都爱看，就应该在这方面多多留神。一部作品如果文笔好，故事情节也好，但是科诨不好，那么不仅俗人不想看，即使是高雅的人士，看了也会打瞌睡。创作传奇的，要善于驱赶瞌睡。观众的瞌睡一来，即使后来台上奏的是《钧天》之曲，跳的是《霓裳羽衣》之舞，都会不闻不见，就像对着泥人作揖、对着土佛谈经一样了。我曾经把这个道理告诉演员，说一部戏的精彩之处全在后半部。观众只要打两三个瞌睡，一部戏的情节便被打断，等到瞌睡醒来时，上下文已经接不上了，即使打起精神再看，也只能断章取义，看到的是零散的折子戏了。这样说来，科诨就不仅仅是科诨，而是给观众的人参汤。要让人养精益神，让人不疲倦，全都要靠它，怎么可以小看呢？

戒淫亵

【原文】

戏文中花面插科，动及淫邪之事，有房中道不出口之话，公然道之戏场者。无论雅人塞耳，正士低头，惟恐恶声之污听，且防男女同观，共闻亵语，未必不开窥窃之门。郑声宜放，正为此也。不知科诨之设，止为发笑，人间戏语尽多，何必专

谈欲事？即谈欲事，亦有“善戏谑兮，不为虐兮”之法，何必以口代笔，画出一幅春意图，始为善谈欲事者哉？人问：“善谈欲事，当用何法，请言一二以概之。”予曰：“如说口头俗语，人尽知之者，则说半句，留半句，或说一句，留一句，令人自思。则欲事不挂齿颊，而与说出相同，此一法也。如讲最亵之话，虑人触耳者，则借他事喻之，言虽在此，意实在彼，人尽了然，则欲事未入耳中，实与听见无异，此又一法也。得此二法，则无处不可类推矣。”

【译文】

戏曲中的花脸插科打诨，动不动就涉及到淫邪的事情。有些话即使是在卧房之中都说不出口的，却公然在戏场上说了出来。且不说高雅正直的人都低下头来塞上耳朵，唯恐被淫邪的声音所玷污，而且要防备男女一起看戏，一同听到这些淫声亵语，做出些偷偷摸摸的事来。古人排斥郑声这种淫亵秽语，正是因为这个缘故。殊不知戏中科诨的目的只是为了让人发笑，人世间玩笑的话很多，又何必专谈淫欲呢？即使要说，也有善于开玩笑而又不过分的办法，何必以口代笔，一定要画出一幅春宫图，才叫做善于谈论情欲呢？有人问：“谈论情欲性事，应当用什么方法呢？请说一两个例子来说明一下。”我说：“如果是说人人都知道的口头俗语，就说半句留半句，或者说一句留一句，让别人自己去想，那么这些事情虽然没有说出来，也和说出来了一样，这是一种方法。如果要讲很下流的话，担心玷污了别人的耳朵，就假借其他的事作比喻，说的是这件事，意思却是指那件事，人人都清楚是怎么回事。这样，淫亵之事虽然没有钻入耳朵，实际上跟听见没有什么区别，这又是一种方法。有这两种方法，其他任何地方都可以类推。”

忌俗恶

【原文】

科诨之妙，在于近俗，而所忌者，又在于太俗。不俗则类腐儒之谈，太俗即非文人之笔。吾于近剧中，取其俗而不俗者，《还魂》而外，则有《粲花五种》，皆文人最妙之笔也。《粲花五种》之长，不仅在此，才锋笔藻，可继《还魂》，其稍逊一筹者，则在气与力之间耳。《还魂》气长，《粲花》稍促；《还魂》力足，《粲花》略亏。虽然，汤若士之《四梦》，求其气长力足者，惟《还魂》一种，其余三剧则与《粲花》比肩。使粲花主人及今犹在，奋其全力，另制一种新词，则词坛赤帜，岂仅为若士一人所攫哉？所恨予生也晚，不及与二老同时。他日追及泉台，定有一番倾倒，必不作妒而欲杀之状，向阎罗天子掉舌，排挤后来人也。

【译文】

插科打诨的妙处，在于通俗，而所忌讳的，又是太俗。不通俗，就像迂腐的儒士说的话；而太俗又不像是文人写的东西。我在近代剧本中，选出一些通俗而又不俗气的，除了《还魂记》一剧之外，还有《粲花五种》，这都是文人最高妙的手笔。《粲花五种》的长处，不仅仅是科诨用得好，它的才气笔法可以比得上《还魂记》，它比《还魂记》稍逊一筹的是在气势和力度方面。《还魂记》气势很大，《粲花五种》稍显局促；《还魂记》的力度很足，《粲花五种》略显不足。虽然是这样，在汤显祖的《临川四梦》里，只有《还魂记》的气势大、力度足，其余的三种，都和《粲花五种》差不多。假使《粲花五种》的作者活到现在，全力以赴，另外创作一部作品，那么词坛霸主的旗帜岂能被汤显祖一人独占。可恨我生得太晚了，没有赶上与两老同一个时代。将来我追到九泉之下，一定会向他们表示仰慕之情，不会嫉妒得想要杀了他们，也不会在阎王爷面前说坏话，排挤后来的人。

重关系

【原文】

“科诨”二字，不止为花面而设，通场脚色皆不可少。生、旦有生、旦之科诨，外、末有外、末之科诨，净、丑之科诨则其分内事也。然为净、丑之科诨易，为生、旦、外、末之科诨难。雅中带俗，又于俗中见雅；活处寓板，即于板处证活。此等虽难，犹是词客优为之事。所难者，要有关系。关系维何？曰：于嘻笑诙谐之处，包含绝大文章，使忠孝节义之心，得此愈显。如老莱子之舞斑衣，简雍之说淫具，东方朔之笑彭祖面长，此皆古人中之善于插科打诨者也。作传奇者，苟能取法于

此，则科诨非科诨，乃引人入道之方便法门耳。

【译文】

“科诨”这两个字，不仅仅是为花脸准备的，所有的角色都不可少。生、旦有生、旦的科诨，外、末有外、末的科诨，而净、丑的科诨更是他们分内的事。然而，让净、丑插科打诨容易，让生、旦、外、末插科打诨困难。必须雅中带俗，又要在俗中见雅；既要在灵活的地方蕴含死板，又要在死板当中显出灵活。这样做虽然很难，仍是作者们能够做好的事。难就难在，要有关系。关系是什么？是在嘻笑诙谐的地方，包含深刻的含义，使得忠孝节义等思想，靠它更加显露出来。就像老莱子身穿五彩衣跳舞，简雍谈论淫具，东方朔嘲笑彭祖脸长一样。这些都是古人中善于插科打诨的人。创作传奇故事，假如能从中吸取经验，那么科诨便不仅仅是科诨，而是引导人们走上正道的方便途径了。

贵自然

【原文】

科诨虽不可少，然非有意为之。如必欲于某折之中，插入某科诨一段，或预设某科诨一段，插入某折之中，则是觅妓追欢，寻人卖笑，其为笑也不真，其为乐也亦甚苦矣。妙在水到渠成，天机自露。“我本无心说笑话，谁知笑话逼人来”，斯为科诨之妙境耳。如前所云简雍说淫具，东方朔笑彭祖，即取二事论之。

蜀先主时，天旱禁酒，有吏向一人家索出酿酒之具，论者欲置之法。雍与先主游，见男女各行道上，雍谓先主曰："彼欲行淫，请缚之。"先主曰："何以知其行淫？"雍曰："各有其具，与欲酿未酿者同，是以知之。"先主大笑，而释蓄酿具者。

汉武帝时，有善相者，谓人中长一寸，寿当百岁。东方朔大笑，有司奏以不敬。帝责之，朔曰："臣非笑陛下，乃笑彭祖耳。人中一寸则百岁，彭祖岁八百，其人中不几八寸乎？人中八寸，则面几长一丈矣，是以笑之。"

此二事，可谓绝妙之诙谐。戏场有此，岂非绝妙之科诨？然当时必亲见男女同行，因而说及淫具；必亲听"人中一寸寿当百岁"之说，始及彭祖面长，是以可笑，是以能悟人主。如其未见未闻，突然引此为喻，则怒之不暇，笑从何来？笑既不得，悟从何有？此即贵自然，不贵勉强之明证也。

吾看演《南西厢》，见法聪口中所说科诨，迂奇诞妄，不知何处生来，真令人欲逃欲呕，而观者听者绝无厌倦之色，岂文章一道，俗则争取，雅则共弃乎？

【译文】

科诨虽然不可缺少，但并不是刻意去做的。如果一定要在某一折当中，插入某一段科诨，或者先设计好某一段科诨，插入某一折之中，就好像嫖客找妓女寻欢作乐，妓女找嫖客卖笑一样，笑得不真，欢乐也是苦涩的。科诨的妙处在于水到渠成，天机自露。“我本无心说笑话，谁知笑话逼人来”，这才是科诨的绝妙境界，像前文谈到的简雍说淫具、东方朔笑彭祖一样，现在就拿这两件事来谈论一下。

蜀汉刘备时，因为天下大旱，禁止酿酒。有个吏卒从一户人家里搜出了酿酒的器具，有人主张治这个人的罪。简雍跟刘备出游，看到有一男一女各自走在路上。简雍对刘备说：“他们要做淫邪之事，请把他们绑起来。”刘备问：“你怎么知道他们会做淫邪之事？”简雍说：“他们各自身上长有淫具，和想要酿酒还未酿酒的人一样，所以我知道。”刘备大笑，释放了私藏酿酒器具的人。

汉武帝时，有一个善于看面相的人，说人中有一寸长的人，能活到一百岁。东方朔听了大笑。掌管礼仪的官员弹劾他对皇上不敬。汉武帝责问他，东方朔答道：“我不是笑陛下，而是笑彭祖。人中一寸长就能活一百岁，彭祖活了八百岁，他的人中岂不是有八寸长吗？人中都有八寸，那么他的脸岂不是有一丈长吗？所以我才笑他。”

这两件事情，可说是绝妙的诙谐。戏场上有这样的诙谐，岂不是绝妙的科诨？然而当时简雍必须亲眼见到男女同行，才能谈到淫具；

东方朔必须亲耳听到“人中一寸长就能活到百岁”的说法，才能说到彭祖脸长。像这样才可笑，才能够让君主醒悟。如果他们既没有听到也没有看到这些事，便突然拿它们来作比喻，那么皇上发怒尚且来不及，又怎么会发笑呢？既笑不起来，又怎么会醒悟呢？这就是科诨贵在自然，不能勉强的明证。

我观看《南西厢》，听到法聪口中所说的科诨，奇怪荒诞，不知道从哪里生出来的，真是令人想逃想呕。然而那些观众，却没有一点厌倦的神态，难道写文章的结果是低俗的大家争着看，高雅的却被大家都抛弃吗？

格局第六

【原文】

传奇格局，有一定而不可移者，有可仍可改，听人自为政者。开场用末，冲场用生；开场数语，包括通篇；冲场一出，蕴酿全部，此一定不可移者。开手宜静不宜喧，终场忌冷不忌热。生、旦合为夫妇，外与老旦非充父母即作翁姑，此常格也。然遇情事变更，势难仍旧，不得不通融兑换而用之。诸如此类，皆其可仍可改，听人为政者也。

近日传奇，一味趋新，无论可变者变，即断断当仍者，亦加改窜，以示新奇。予谓文字之新奇，在中藏，不在外貌；在精液，不在渣滓，犹之诗赋古文以及时艺，其中人才辈出，一人胜似一人，一作奇于一作，然止别其词华，未闻异其资格。有以古风之局而为近律者乎？有以时艺之体而作古文者乎？绳墨不改，斧斤自若，而工师之奇巧出焉。行文之道，亦若是焉。

【译文】

传奇作品的格局，有固定而不能够改变的，也有可改可不改，随作者自己意愿的。开场用末角，冲场用生角；开场几句话，概括全剧；冲场一出，酝酿全部情节，这些都是固定而不能够改变的。戏开场宜静不宜闹，终场忌冷清不忌热闹。生、旦适合演夫妻，外末与老旦不是扮父母就是扮公婆，这是常规。但有时事情发生变化，不能再按旧的格式写，就不得不通融变换来用。诸如此类，都是可改也可不改，随作者意愿的。

近来的传奇作品，一味追求新奇，不仅是可以改变的改变了，即使是一定不能变的地方，也加以篡改，以标新立异。我认为文学作品的新奇，在于作品的内涵，而不在外表；在于它的精髓，而不在渣滓，就像作诗赋古文以及八股文，其中人才辈出，一人胜过一人，作品一部比一部新奇，然而这只是在词采方面有所不同，没有听说改变文体格式的。有用古风体写近体律诗的吗？有用八股文体写古文的吗？墨线不改，刀斧依旧，好的工匠同样能做出好的东西来。文学创作的道理，与此相同。

家　门

【原文】

开场数语，谓之“家门”。虽云为字不多，然非结构已完、胸有成竹者，不能措手。即使规模已定，犹虑做到其间，势有阻挠，不得顺流而下，未免小有更张，是以此折最难下笔。如机锋锐利，一往而前，所谓信手拈来，头头是道，则从此折做起，不则姑缺首篇，以俟终场补入。犹塑佛者不即开光，画龙者点睛有待，非故迟之，欲俟全像告成，其身向左，则目宜左视；其身向右，则目宜右观，俯仰低徊，皆从身转，非可预为计也。此是词家讨便宜法，开手即以告人，使后来作者未经捉笔，先省一番无益之劳，知笠翁为此道功臣，凡其所言，皆真切可行之事，非大言欺世者比也。

未说家门，先有一上场小曲，如《西江月》、《蝶恋花》之类，总无成格，听人拈取。此曲向来不切本题，止是劝人对酒忘忧、逢场作戏诸套语。予谓词曲中开场一折，即古文之冒头，时文之破题，务使开门见山，不当借帽覆顶。即将本传中立言大意，包括成文，与后所说"家门"一词相为表里。前是暗说，后是明说，暗说似破题，明说似承题，如此立格，始为有根有据之文。场中阅卷，看至第二三行，而始觉其好者，即是可取可弃之文；开卷之初，能将试官眼睛一把拿住，不放转移，始为必售之技。吾愿才人举笔，尽作是观，不止填词而已也。

元词开场，止有冒头数语，谓之"正名"，又曰"楔子"，多则四句，少则二句，似为简捷。然不登场则已，既用副末上场，脚才点地，遂尔抽身，亦觉张皇失次。增出家门一段，甚为有理。然家门

之前，另有一词，今之梨园皆略去前词，只就家门说起，止图省力，埋没作者一段深心。大凡说话作文，同是一理：入手之初，不宜太远，亦正不宜太近。文章所忌者，开口骂题，便说几句闲文，才归正传，亦未尝不可，胡遽惜字如金，而作此卤莽灭裂之状也？作者万勿因其不读而作省文。至于末后四句，非止全该，又宜别俗。元人楔子，太近老实，不足法也。

【译文】

开场的几句话，称之为“家门”。虽说字数不多，然而如果不是全剧的情节已经构思好，胸有成竹的话，就不能够动手。即使全剧的情节已构思好了，还要担心写到中间，情节发展有阻碍，不能够顺畅地写下去，难免会有小小的变更，所以“家门”这一折最难写。如果作者笔锋锐利，文思泉涌，能够信手拈来，写得头头是道，便可以从这一折写起，否则的话，不如暂时不写这一折，等全剧写完以后再补上去。就像雕佛像的不马上开光，画龙的不急于点睛一样。这并不是故意延迟，

而是要等整座佛像都完成以后，佛身侧向左边，眼睛就向左看，佛身侧向右边，眼睛就要向右看，眼睛或俯视或仰视，眼光是收是放，都要随着身体的姿势而定，不是预先可以计划好的。这是戏曲作家便宜讨巧的办法，我一开始就告诉大家，使后来的作者动笔之前，少做一番无用功，这才知道我李笠翁在这方面实在是个大功臣，所说的话都切实可行，不是那些说大话骗人者所能比拟的。

在家门之前，先有一支开场小曲，如《西江月》、《蝶恋花》之类，没有一定的格式，随人选取。这种曲子向来不切合主题，只是一些劝人对酒忘忧、逢场作戏等的套语。我认为词曲中开场这折戏，相当于古文的“冒头”、八股文中的“破题”，一定要开门见山，不应当遮遮掩掩，应当将剧中主题大意，总结概括，与后面关于“家门”的话互为表里。前面是暗说，后面是明说。暗说像八股文中的“破题”，明说则像“承题”，像这样的布局，才算是有根有据的作品。在科举考试中阅卷，看到第二三行，才觉得好的文章，便是可取可弃的文章；一开始就能把考官的眼睛吸引住，不能移开，这才是一定会考取的文章。我希望文人创作时，都能这样看，而不仅仅在戏曲创作一方面。

元代戏曲开场只有几句话，称之为“正名”，又叫“楔子”，多的有四句，少的只有两句，这样看起来似乎很简捷。然而不登场则已，一旦副末上场，脚才点地，马上又抽身下场了，让人觉得慌张没有次序。增加一段“家门”，很有道理。但是在“家门”之前，另外还有一段话，现在的戏班子都省掉了前面那段话，就从“家门”这段开始，只图省力，辜负了作者的一片深意。不管是说话还是写文章，都是一个道理：开始的时候，不应该扯得太远，但也不应该离题太近。写文章所忌讳的是，一开始便直奔主题，就是说上几句闲话，然后才言归正传，也未尝不可，为什么非要惜字如金，而现出这样鲁莽冲撞的情形呢？作者千万不要因为没有人看而省掉它。至于后面的四句话，不但应该写得完善，还要别致不俗。元代作品中写的“楔子”，太过于老实呆板，不值得效仿。

冲　场

【原文】

开场第二折，谓之“冲场”。冲场者，人未上而我先上也。必用一悠长引子，引子唱完，继以诗词及四六排语，谓之“定场白”，言其未说之先，人不知所演何剧，耳目摇摇，得此数语，方知下落，始未定而今方定也。此折之一引一词，较之前折家门一曲，犹难措手。务以寥寥数言，道尽本人一腔心事，又且蕴酿全部精神，犹家门之括尽无遗也。同属包括之词，而分难易于其间者，以家门可以明说，而冲场引子及定场诗词全用暗射，无一字可以明言故也。非特一本戏文之节目全于此处埋根，而作此一本戏文之好歹，亦即于此时定价。

何也？开手笔机飞舞，墨势淋漓，有自由自得之妙，则把握在手，破竹之势已成，不忧此后不成完璧，如此时此际，文情艰涩，勉强支吾，则朝气昏昏，到晚终无晴色，不如不作之为愈也。然则开手锐利者宁有几人？不几阻抑后辈，而塞填

词之路乎？曰：不然。有养机使动之法在。如入手艰涩，姑置勿填，以避烦苦之势；自寻乐境，养动生机，俟襟怀略展之后，仍复拈毫，有兴即填，否则又置。如是者数四，未有不忽撞天机者。若因好句不来，遂以俚词塞责，则走入荒芜一路，求辟草昧而致文明，不可得矣。

【译文】

开场第二折戏，称之为“冲场”。“冲场”的意思，就是别人没上场我先上。上场后，总是先唱一段悠长引子，引子唱完，接着是诗词和四六排句，称做“定场白”，意思是他没说之前，别人不知道要演什么戏，摸不着头脑，听了这几句话之后，才知道剧情，开始心没有定而现在定下来了。这折中的一段“引子”、一段“定场白”，比上一折戏中的“家门”一曲，还要难动笔。一定要用寥寥数语，说尽人物的一腔心事，并且酝酿全剧的精神，就像“家门”一样，要把所有的内容都概括进来，没有遗漏。虽然都是概括的话，但是难易不同。因为“家门”可以明说，而冲场的“引子”和“定场白”全是含沙射影，一个字都不能明说。不仅一部戏的情节全在这里打下埋伏，而且一部戏的好坏，也可以在这里看出来。

这是为什么呢？因为如果作者一开始就笔飞墨舞，酣畅淋漓，挥洒自如，那么一口气写下去，势如破竹，不必担心以后会写不好；如果作者写到这里，文思还没有开阔，写得勉强凑合，那么就像早晨的天气昏昏沉沉，到了晚上也不能天晴，不如不写为好。然而动笔便顺畅流利的又有几人？我这样说难道不会压抑后辈，堵塞了编戏这条路吗？我说：并不是这样，有一种方法可以培养生机和灵性。如果一时下笔艰难,不如先把它放到一边不写,以免烦躁。先去另外找些乐趣,培养生机和灵性。等到胸怀开阔之后再提笔,有兴致则写,否则再把它放到一边。像这样多次以后,一定会灵感突发、文思泉涌。如果因为想不出好句子,而用一些俗言俚语来搪塞,就等于走进了荒芜地带,想避开愚昧而求得文明,是不可能的了。

出脚色

【原文】

本传中有名脚色,不宜出之太迟。如生为一家,旦为一家,生之父母随生而出,旦之父母随旦而出,以其为一部之主,余皆客也。虽不定在一出二出,然不得出四五折之后。太迟则先有他脚色上场,观者反认为主,及见后来人,势必反认为客矣。即净丑脚色之关乎全部者,亦不宜出之太迟。善观场者,止于前数出所见,记其人之姓名;十出以后,皆是枝外生枝,节中长节,如遇行路之人,非止不问姓字,并形体面目皆可不必认矣。

【译文】

一部戏中重要的角色,出场不应该太迟。如果生角是一家,旦角又是一家,那么生角的父母应该和生角一起出场,旦角的父母应该随旦角一起出场。因为他们是一部戏的主角,其他的都是次要人物。他

们的出场虽然不一定要在第一、二出戏中，但也不应当在第四、五折戏之后。如果他们出场太迟了，便会有其他角色先上场，观众把他们当成了主角，等到后来主角出场，就反而会被认为是次要角色了。即使是净角和丑角，如果和全剧相关，也不应该出场太迟。善于看戏的人，只记住前几出戏所出现角色的姓名，十出以后的角色，都是节外生枝，就像遇到陌路人，不仅不需要问姓名，连身材、长相都可以不必认了。

小收煞

【原文】

上半部之末出，暂摄情形，略收锣鼓，名为“小收煞”。宜紧忌宽，宜热忌冷，宜作郑五歇后，令人揣摩下文，不知此事如何结果。如做把戏者，暗藏一物于盆盎衣袖之中，做定而令人射覆，此正做定之际，众人射覆之时也。戏法无真假，戏文无工拙，只是使人想不到、猜不着，便是好戏法、好戏文。猜破而后出之，则观者索然，作者赧然，不如藏拙之为妙矣。

【译文】

上半部戏最后一出，让剧情告一段落，锣鼓暂停，这叫做“小收煞”。这出戏宜紧不宜宽，宜热不宜冷，应当像郑五说歇后语一样，让人去猜测下文，不知故事如何结果。又像变戏法的人，偷偷地把一样东西藏起来，让人去猜。而小收煞正是藏好东西，让众人猜测的时候。戏法无论真假、戏文无论好坏，只要能使人想不到、猜不着，便是好戏法、好戏文。如果让人事先就猜出了结果，那么看戏的人便索然无味，作者也觉得羞愧，还不如藏拙的好。

大收煞

【原文】

全本收场，名为“大收煞”。此折之难，在无包括之痕，而有团圆之趣。如一部之内，要紧脚色共有五人，其先东西南北各自分开，到此必须会合。此理谁不知之？但其会合之故，须要自然而然，水到渠成，非由车戽。最忌无因而至，突如其来，与勉强生情，拉成一处，令观者识其有心如此，与恕其无可奈何者，皆非此道中绝技，因有包括之痕也。骨肉团聚，不过欢笑一场，以此收锣罢鼓，有何趣味？水穷山尽之处，偏宜突起波澜，或先惊而后喜，或始疑而终信，或喜极信极而反致惊疑，务使一折之中，七情俱备，始为到底不懈之笔，愈远愈大之才，所谓有团圆之趣者也。

予训儿辈尝云："场中作文，有倒骗主司入彀之法；开卷之初，当以奇句夺目，使之一见而惊，不敢弃去，此一法也；终篇之际，当以媚语摄魂，使之执卷留连，若难遽别，此一法也。"收场一出，即勾魂摄魄之具，使人看过数日，而犹觉声音在耳、情形在目者，全亏此出撒娇，作"临去秋波那一转"也。

【译文】

全剧收场，叫做"大收煞"。这折戏的难处，在于没有包揽全剧的痕迹，却有团圆的味道。如果一部戏中，主要角色共有五个人，开始是东南西北各自分开，到了这出戏就必须会合。这个道理有谁不知道？但是使他们会合的理由却必须自然而然，水到渠成，而不是像水车汲水一样人为地拉到一块。此时最忌讳的是无缘无故，突如其来，或勉强捏造情由，把各种人物硬拉到一起，让观众看出作者是有意这样写的，这和要观众原谅作者的无可奈何一样，都不是很高明的写法，因为有包揽的痕迹。骨肉团聚，只不过是欢笑一场，就这样结束了又有什么趣味？山穷水尽的时候，偏偏应该突起波折，或者先惊后喜，或者开始怀疑最后相信，或者高兴至极、相信至极后却反而惊疑不定。一定要使一折戏中，各种感情变化全都具备，这才是贯穿始终的手笔，越远越大的才智，也才有真正团圆的趣味。

我曾经教导晚辈说：“科举考场上，有些办法可以欺骗主考官。在文章的开头便用一些新奇的句子吸引他的目光，让他一看就感到惊奇，不敢随便放过，这是一种方法。在文章的结尾，应当用娇媚的语言来勾引他的魂魄，让他手拿考卷，流连不舍，这是一种方法。”收场这出戏，便是勾魂摄魄的手段，让人看过几天以后，仍然觉得声音就在耳边，情节历历在目，这全亏这出戏的撒娇，像美女临去时暗送秋波般让人魂牵梦萦。

填词余论

【原文】

读金圣叹所评《西厢记》，能令千古才人心死。夫人作文传世，欲天下后代知之也，且欲天下后代称许而赞叹之也。殆其文成矣，其书传矣，天下后代既群然知之，复群然称许而赞叹之矣，作者之苦心，不几大慰乎哉？予曰：未甚慰也。誉人而不得其实，其去毁也几希。但云千古传奇，当推《西厢》第一，而不明言其所以为第一之故，是西施之美，不特有目者赞之，盲人亦能赞之矣。自有《西厢》以迄于今，四百余载，推《西厢》为填词第一者，不知几千万人，而能历指其所以为第一之故者，独出一金圣叹。是作《西厢》者之心，四百余年未死，而今死矣。不特作《西厢》

者心死，凡千古上下操觚立言者之心，无不死矣。人患不为王实甫耳，焉知数百年后，不复有金圣叹其人哉！

圣叹之评《西厢》，可谓晰毛辨发，穷幽极微，无复有遗议于其间矣。然以予论之，圣叹所评，乃文人把玩之《西厢》，非优人搬弄之《西厢》也。文字之三昧，圣叹已得之；优人搬弄之三昧，圣叹犹有待焉。如其至今不死，自撰新词几部，由浅入深，自生而熟，则又当自火其书，而别出一番诠解。甚矣，此道之难言也。

圣叹之评《西厢》，其长在密，其短在拘，拘即密之已甚者也。无一句一字不逆溯其源，而求命意之所在，是则密矣，然亦知作者于此，有出于有心，有不必尽出于有心者乎？心之所至，笔亦至焉，是人之所能为也。若夫笔之所至，心亦至焉，则人不能尽主之矣。且有心不欲然，而笔使之然，若有鬼物主持其间者，此等文字，尚可谓之有意乎哉？文章一道，实实通神，非欺人语。千古奇文，非人为之，神为之、鬼为之也，人则鬼神所附者耳。

【译文】

读金圣叹评点的《西厢记》，能使古往今来的才子心死。一个人写文章在世间流传，是为了让天下后代知道他，而且希望后代称许赞叹。等到他的文章写出来了，他的书流传开来了，天下的人都知道他，又都称许赞叹他了，那么作者的苦心不就得到最大的安慰了吗？我说：还没有。赞美人却没有说到实质，那和诽谤也差不了多少。只说千古传奇，应当推举《西厢记》为第一，却不能明白说出它之所以成为第一的原因，这就像说西施的美丽，不仅有眼睛的赞美她，连盲人也赞美她一样。从有《西厢记》到今天，已有四百多年了，推举《西厢记》为戏曲作品中第一的，不知有几千几万人，但是能一一指出它之所以为第一的人，只有金圣叹一个。《西厢记》作者四百多年没有瞑目，到现在才算瞑目了。不仅仅是《西厢记》的作者瞑目，而且所有从古到今著书立说的人没有不瞑目的。人们都担心自己不是王实甫，又怎么知道几百年后，不会再出现一个金圣叹呢？

金圣叹评论《西厢记》，可以称得上是连毛发都辨析得非常清楚，细致入微到了极点，不再有遗漏了。但在我看来，金圣叹所评的是文人把玩的《西厢记》，而不是演员演出的《西厢记》。文章的三昧，金圣叹已经获得了，演员演出的三昧，金圣叹还不太够。如果金圣叹活到现在，自己创作几部戏曲，由浅及深，从生到熟，那么到时候他一定会自己烧掉《西厢记》评论，另外做出一番诠释的。戏曲作品的评论实在是太困难了！

金圣叹评论《西厢记》，其长处在于细密，短处在于拘泥，拘泥就是过于细密了。每一个字每一句话都要追溯来源，试图发掘作者创作的本意，这样虽然细密了，然而也应该知道作者这样写，是有心为之，还是无意的呢？心里想到哪里，笔就写到哪里，这是人人能做到的事情。至于说笔所能到的地方，心也能够到，那就不是人人都能把握的了。况且还有心不想这样写，可是笔却偏偏促使他这样写，好像有鬼神在支配似的，像这样的文字，还能说是作者有意为之的吗？文学创作和神灵相通，这并不是骗人的话。千古伟大的作品，并非是人写出来的，而是神、鬼之力所为，人不过是鬼神所附的躯壳罢了。